29.500

030345

P9-CQO-405

La isla de los gatos negros
(Galápagos)

Gustavo Vásconez

La isla
de los gatos negros
(Galápagos)

Ediciones Libri Mundi

© Gustavo Vásconez Hurtado
© Ediciones Libri-Mundi Enrique Grosse-Luemern
Primera edición, 1993

Portada: Carole Lindberg
Fotografía portada: Kira Tolkmitt
Diseño gráfico: Grupo Esquina
editores - diseñadores S. A.
Diseño, edición, armada electrónica,
impresión y encuadernación:
Tercer Mundo Editores
Santafé de Bogotá, Colombia

ISBN 9978-57-005-5

Ediciones Libri-Mundi Enrique Grosse-Luemern
Juan León Mera 851 y Wilson
Casilla 17013029 Fax: (5932) 504-209
Quito, Ecuador

Impreso y hecho en Colombia
Printed and made in Colombia

I
Tierra de nadie

LA BARRACA era circular. Troncos rugosos de
acacia la cubrían alrededor; el frente quedaba al descubierto. Dos habitaciones cerradas con madera y tela
metálica. Tres pasillos amplios que servían de cocina,
sala-comedor y bodega: el techo, de cinc. Veinte hectáreas demarcadas. Tres de cultivo, cercadas por un
vallado. Crecían los pantanales, la yuca, caña de azúcar, algunas vides y otros frondosos ciruelos. Al fondo de la huerta, un estanque de cuatro metros
cuadrados recogía las filtraciones de agua. La verdadera vertiente se encontraba más arriba. A la izquierda, el corral de gallinas. Al este, la salida a Playa
Prieta y, hacia el sur, el camino al Cerro de las Cuevas. En la baranda, algunas sillas de mimbre. Desde
allí se contemplaba el mar abierto, verde a veces,
otras de color azulenco. Desde lo alto del Cerro de la
Paja y a la distancia, en tiempo despejado, se dibujaban otras islas: Barrington, Santa Cruz, Hood y hasta
la más extensa de todas: La Isabela.

El doctor Weinhardt trabajaba en una mesa rústica.
Tecleaba una máquina de escribir. Dispersos, muchos
papeles. Escribía artículos científicos, filosóficos y sus

observaciones de las islas Galápagos. Numerosos periódicos de Alemania y América los reproducían. De mediana estatura, el torso robusto, el cráneo triangular, los cabellos desgreñados, los ojos saltones, la mirada hosca y a veces maligna. Hacía tres años que habían llegado a la Floreana él y su compañera Grete Riedel. Eran los únicos habitantes de la isla, y los otros integraban un conjunto de pájaros extraños, perros salvajes, cerdos remontados y asnos huidizos. Abajo, las aguas chocaban contra las rocas negras, color de betún, y contra los farallones de desigual simetría. Allí se desperezaban los lobos marinos de piel color marrón, que se tornaba negra y lustrosa cuando salían del mar para tenderse en el roquerío. Lanzaban gruñidos sordos y constantes. El macho gigante apareaba la manada. Entre los manglares flotaban las tortugas pardas y se ocultaban los tiburones. El doctor Weinhardt apartó sus papeles y se encaminó al huerto. Andaba casi desnudo, un pequeño pantalón le cubría los muslos. Dio un largo paseo observando las legumbres y se internó en la arboleda. Tamarindos, papayales, palmas y limoneros se entrelazaban. Miró con satisfacción su obra. El había consumado el desmonte, cultivado la tierra, sembrado las simientes, descuajado los ramajes para levantar la vivienda. Poco le faltaba para el sustento. Además guardaba en el depósito una abundante provisión de alimentos enlatados. Muchos víveres, implementos y prendas de vestir le traían los grandes yates y los barcos que tocaban la isla cada tres, cada seis, cada nueve meses. Tomó la azada y se puso a desyerbar el plantío.

Grete llegó desnuda, portando una vasija de agua. El sol había cubierto su cuerpo de un tinte canela. Tenía los huesos frágiles, los senos firmes, los labios alargados, la cabellera corta. Pasó junto a él sin decirle nada. Siempre era así. Hablaban lo indispensable, a no ser en las veladas, cuando debatían temas filosóficos, observaciones sobre la naturaleza que les circundaba. El desdeñaba la humanidad; había huido de la civilización y buscaba el aislamiento en aquella isla inhóspita que se rebelaba contra la permanencia de los hombres. Estudió medicina, odontología y ciencias naturales.

Había ejercido la profesión de dentista, destacándose en Berlín, su suelo nativo, cuando emprendió de pronto el destierro voluntario. Su desaparición intempestiva de la urbe y su aparición también repentina en la isla Floreana habían promovido un revuelo en el mundo científico y noticioso. Sus escritos atraían la atención de la prensa mundial. Exponía su existencia primitiva, su sistema de alimentación vegetariana, su rechazo aparente a comer carne, las ventajas del nudismo y otras teorías que, aseguraba, le permitirían vivir un centenar de años.

Weinhardt trabajó dos horas, hasta que el sol abrasador cubrió su cuerpo de sudor; luego penetró en la barraca. En la mesa frugal: dos platos de ensalada, un recipiente de frutas, budín de arroz. Comenzó a comer en silencio. Masticaba con las encías. Antes de su partida, él y su compañera se habían hecho extraer los dientes. No podían darse el lujo de mantenerlos en una isla deshabitada. Disponían de una dentadura artificial de acero que utilizaban alternativamente los dos de acuerdo con las circunstancias. Ella se sentó frente a la mesa y partió la pulpa de una papaya.

—Parece que ha llegado un yate —dijo.

—¿Lo viste?

—Sí, en Playa Prieta. Es norteamericano.

—Ya vendrán.

—Siempre vienen.

—Acaso traigan comestibles.

—No te preocupes. Los traerán. No pienses sólo en ello.

—Nos hacen falta tarros de leche, avena, agujas, sandalias.

La miró con hostilidad, y tomando un libro fue a sentarse en la baranda. Ella penetró al pasillo para lavar los enseres y atizar el fuego. La leña chisporroteaba mientras hervía el agua para preparar el café. El volvió a acomodarse frente a la máquina de escribir:

«Esto que está ocurriendo prueba lo que yo siempre he pensado: que estas islas encantadas no son un lugar propicio para la colonización ni para otra empresa semejante; la naturaleza se defiende rudamente contra el orgullo de los hombres. Esta mañana encontré un toro muerto en el jardín, y ayer no pude menos que compartir un poco de agua con dos asnos salvajes que ya no tenían fuerzas ni para moverse. Si la Providencia no tiene piedad de sus criaturas, éstas deberán morir. Sin duda será mejor».

Estaba escribiendo el doctor cuando sonó la campana y escuchó voces en la cancela. Dos minutos más tarde entraron seis o siete hombres con el capitán

Harrison, millonario norteamericano, quien pilotaba su propio yate y estaba acompañado de un grupo de científicos e investigadores que efectuaban una gira por parte de Suramérica. Harrison había visitado la Floreana en otras ocasiones y era un buen amigo del doctor, con quien mantenía correspondencia. Se acercó a saludarle. Un marinero depositó unas cajas en el fondo de la cabaña y se alejó.

—Muy interesantes sus últimos artículos —dijo Harrison mientras se acomodaban en la explanada, que tenía la configuración de una herradura.

—Acabo de terminar un escrito que usted me hará el favor de enviar a la revista *Liberty*. En él mantengo la teoría de que estas islas son refractarias al hombre; rechazan la civilización. Constituyen un parque botánico y zoológico natural que no admite otros seres vivientes que los dotados por la naturaleza espontáneamente. Muchos de los animales importados no logran a veces subsistir.

—Veo en su chacra toda clase de frutas, legumbres en su huerto y un excelente gallinero —dijo James Brown, director del Instituto Geográfico—. Usted goza de bienestar y perfecta salud. ¿Qué cosa le inclina a pensar de este modo?

—Una sola palabra: agua.

—Pero usted dispone de ella.

—En la época de verano, o sea cuando no llueve, hay muy poca en ésta y en otras islas. Algunas no tienen ni una sola gota de agua. Cuando se prolonga la sequía, la vertiente se seca, y en ese caso, sin ayuda exterior, el hombre no puede vivir.

—No obstante, ha habido una colonia hasta cierto punto numerosa, y en diferentes épocas. Aquí se refugiaban los piratas, los balleneros, los exploradores...

—Es verdad que existió una colonia de trabajadores, más tarde de penados, y se hicieron otros ensayos para poblarla; pero todos se han ido. Hoy no quedan otros seres humanos que mi compañera y yo.

—Puede tener razón; mas tengo entendido que la vertiente se ha secado sólo en épocas excepcionales, cuando la sequía se ha prolongado demasiado. A propósito de exploradores, si no me equivoco, Lord Byron visitó las islas Galápagos. Me parece haber visto un libro escrito hace mucho tiempo.

—En efecto, el séptimo Lord Byron, heredero del título del ilustre poeta inglés, visitó el archipiélago en 1825 en el navío "Blonde". Quedaron asombrados de la belleza exótica de las islas, de su fauna de lobos marinos, de iguanas, de la múltiple variedad de pájaros, de los enormes galápagos. El capitán escribió un libro en el cual describe lo que había presenciado.

—Mire, usted, la expedición padeció por falta de agua. Hicieron, sí, abundante provisión de carne de tortuga y leña.

—¿Cree usted que sólo por la escasez de agua fracasaron los otros intentos de colonización?

—No, exactamente. Es probable que fuese uno de los factores que contribuyeron al fracaso. Los relatos no nos hablan de este punto. Sin embargo, habiendo sido la primera colonización patrocinada por el gobierno, es de suponer que en caso de sequía total en algún determinado verano, el Estado hubiera recurrido en auxilio de los pobladores. Cuando el primer presidente del Ecuador, general Juan José Flores, hizo tomar posesión de estas islas mandó al general Villamil, quien vino a fundar una colonia y trajo agricultores, artesanos y ochenta soldados del Batallón Flores que se habían sublevado y fueron condenados a la pena de muerte. Esta fue conmutada por deportación perpetua. El general Villamil introdujo ganado vacuno, asnos, cerdos, cabras y otros animales. Un año más tarde, las autoridades decidieron enviar penados y hasta prostitutas. La colonia, boyante en un principio, comenzó a decaer. Cuando el general Villamil se ausentó a Panamá quedó de gobernador el coronel J. Williams, quien procedió a explotar a los trabajadores en beneficio propio. Hubo una rebelión y la isla fue despoblándose. En 1845 sólo quedaban veinticinco presidiarios, y en 1851, doce.

Grete trajo en aquel momento una bandeja con zumo de limón, atún y abundantes frutas tropicales. La caminata y el aire impoluto del ambiente circundante habían despertado el apetito de la comitiva. La conversación se interrumpió mientras comían y volvió a reanudarse, esta vez sobre el tópico de Darwin y su expedición.

—De las quince diversas clases de tortugas que llevó Darwin en el bergantín "Beagle" probablemente no quedan más de diez —dijo Harrison.

—¿Cree usted que se han extinguido?

—Parece que sí. Como siempre, las causas han sido los hombres y los animales. En otros tiempos, los

15

piratas buscaron refugio en estas costas. Escondían sus barcos en los arrecifes para atacar a los veleros españoles cargados de oro. Regresaban para el reparto y, sobre todo, para proveerse de galápagos. Los galápagos subsisten nueve meses o más de un año sin alimento ni agua y constituyen una comida excelente. Se calcula en quinientos mil los ejemplares que sacaron desde el tiempo de aquellos filibusteros hasta nuestros días. Eso no es todo. El hombre trajo los más grandes enemigos de la especie: los gatos, los perros que devoraban sus huevos. Los galápagos viven en la parte alta y media de algunas islas, mas bajan a la playa a poner sus huevos. Ellos representan un ejemplo de la evolución. Los hay muy grandes, con caparazón que semeja una verdadera silla de montar y el cuello alargado por la necesidad de estirarlo para alimentarse de cactus. Otros se alimentan de hierbas a raíz de suelo, de acuerdo con la zona, y sus cuellos son más cortos.

—Aparte de su riqueza científica —dijo el capitán—, las islas constituyen una magnífica posición estratégica por su cercanía al Canal de Panamá. En la última guerra los submarinos alemanes se escondían entre los arrecifes e intentaron establecer una base de avituallamiento de carbón.

—Yo no sé nada de guerra —dijo el doctor—; vivo retirado en este rincón del mundo, dedicado a mis estudios.

La tarde avanzaba y un paisaje sereno de nubes doradas, franjas azules y manchones rosados cabalgaba en el horizonte. El mar se encrespaba convirtiéndose en masas de espuma blanca al llegar a la arena.

—Es hora de volver —dijo el capitán Harrison—, esta noche continuamos para Santa Cruz. Ha sido muy grato volver a verle, doctor Weinhardt, a nuestro regreso vendremos a visitarle. Despacharé su artículo en el primer correo que encontremos en el trayecto.

La barraca se colmó de sombras. Soplaba un viento recio que enfriaba el ambiente. Maullaban los gatos peleadores. Ladraban los perros montaraces. Mugían los toros sedientos. Los dos echaron a caminar por el sendero. El no hizo ningún comentario sobre la visita de la tarde. El mutismo de siempre. Los ramajes crujían a su paso. Avanzaron indistintamente sin rumbo determinado, absortos en sus cavilaciones. De pronto él se detuvo y rodeó con sus brazos los hombros de ella. Grete se aferró a sus labios despellejados, resecos por la intemperie. El clima tropical encendía su cuerpo desde hacía mucho tiempo. Los dos se acariciaron en silencio y bajo el tamarindo se enlazaron sobre los líquenes de la tierra. Ella se revolvía y su pecho acezaba hasta que los selló la carne.

—Karl... —murmuró al fin—. ¿Por qué no puedes ser menos duro, más sentimental conmigo? Estamos solos. Necesito tu afecto. Necesito tu cariño.

—¿Sentimental? —dijo él con reacción inmediata—. Escucha, Grete, somos dos seres que de común acuerdo hemos buscado el apartamiento. Nuestras ideas difieren de las gentes que habitan en las ciudades. Yo soy un hombre que no cree en ciertos formalismos. El amor es una función como cualquier otra.

Además, estamos aquí para cumplir una misión, para ayudar a nuestro país, para contribuir a la grandeza de la nueva Alemania. ¿Has visto cómo en la isla sobreviven y dominan los más fuertes? Así es nuestra raza. Una raza superior que tarde o temprano tendrá que dominar el mundo. Cuando se cumpla ese anhelo y un conjunto de hombres superiores cambien los sistemas corrompidos que hoy imperan, podremos volver a nuestra civilización, volveremos a integrar una Alemania de proyecciones universales.

Ella sintió un ahogo que le oprimía las vértebras; pero no respondió. Cenaron frugalmente. Una lámpara Petromax iluminaba los pasillos. El recogió los papeles e hizo funcionar la máquina de escribir:

«El 24 de julio de 1929 nos embarcamos para las islas Galápagos (Ecuador). Yo abandonaba la lucrativa práctica de mi profesión, contando, como contaba, con una buena clientela en Berlín; mi compañera abandonaba, como yo, todas las comodidades de la civilización y las ventajas que pudiera procurarnos la sociedad de nuestros prójimos. Ibamos a desterrarnos por nuestra propia voluntad para buscar, en la soledad de una isla casi desierta del Pacífico, la independencia, la paz de espíritu, la oportunidad de cultivar nuestro poder reflexivo hasta su límite, ya que todo esto difícilmente puede lograrse en la complejidad de la vida moderna. Charles Darwin, después de hacer una visita a las Galápagos, escribió de ellas: «Creo que sería difícil encontrar en esta parte del mundo islas situadas sobre el trópico más estériles e impropias para la conservación de la vida». Sin embargo, nosotros teníamos buenas razones para elegir esas islas. Queríamos alejarnos del mundo; no podíamos plantar nuestra tienda en un lugar atrayente a donde otras gentes fuesen luego a reunirse con nosotros. Yo tenía informes de que las condiciones del clima y de las tierras permitirían el cultivo de lo más indispensable para nuestra alimentación, y tal vez un poco más. Y eso era precisamente lo que yo ambicionaba; lo suficiente para dos, sin más acompañamiento.

«Elegimos para ir a instalarnos la isla Floreana, una de las más pequeñas del archipiélago, y en su playa desolada desembarcamos con una cantidad moderada de víveres y utensilios de cocina y labranza, así como una cantidad regular de tolas y de semillas de diferentes variedades.

«Lo primero que tuvimos que hacer fue buscar un refugio, entre tanto podíamos construir una casa, y nos causó suma alegría descubrir en la costa una serie de grutas en la roca, una de las cuales nos sirvió como habitación temporal.

«El trabajo de transportar nuestros víveres y utensilios hasta aquel lugar fue muy difícil. La superficie de la roca, formada por lava milenaria, era extremadamente escabrosa y se hallaba cubierta por un matorral de espinos, a través del cual hube de abrir paso con mi hacha. El calor era intensísimo y para escapar a él tuvimos que despojarnos de nuestros vestidos, excepto nuestras botas altas.

«Después de pasar algunos días en las grutas, nos dimos a explorar la isla y llegamos hasta una enorme hondonada, en forma de herradura: un conjunto de rocas de basalto que fue seguramente el cráter de un extinto volcán. Las partes de esta hondonada eran elevadísimas, salvo en el extremo abierto, y de allí nuestros ojos se alegraron a la vista de un mar de brillante verdura. Allí teníamos abundancia de todas las frutas tropicales: plátanos, naranjas, piñas, guayabas, papayas y muchas otras especies. El secreto de esta inesperada explosión de la vida de los trópicos en aquel lugar rodeado de espacios desolados tiene su explicación en la elevación de las rocas, que guardan aquel rincón feraz».

Arrancó la página y colocó una nueva en el teclado. Esta vez consultaba un cuaderno, luego se levantó y echó a caminar por la trocha del Cerro de los Chivos.

—Tengo que transmitir esta noche —dijo antes de marcharse—, volveré a las once.

Ella quedó adormilada en el lecho de tablas. El mar bramaba y los animales orquestaban una sinfonía macabra de rumores desconcertantes. Se recogió en su desamparo. Mordaz, a veces agria con la gente que no era de su agrado, sensitiva en el fondo de sí misma, abrumada por la soledad. Estudió para profesora sin haber ejercido el magisterio nunca. Sin embargo, su cultura era superior y había leído a los grandes filósofos alemanes. Cliente del doctor Weinhardt en su consultorio de Berlín, se dejó arrastrar por el espejismo de transformarse en una Eva moderna. Los años de exilio comenzaban a quebrantar su espíritu. Las remembranzas surgían igual que capítulos dispersos e incoherentes; las reflexiones le torturaban. Ya estaba acostumbrada a los ruidos extraños del islote y se quedó dormida.

El doctor trepó por la pendiente. Caminó cerca de un cuarto de hora. Escuchaba el chasquido del viento y el romper de las olas. Se internó entre los arbustos achatados, deteniéndose al pie de un algarrobo, y se puso a retirar los pedernales. Lentamente extrajo un aparato de radiotelegrafía provisto de pilas. Lo desempacó del papel impermeable, montó la antena y se colocó los auriculares. La radio empezó a crepitar.

—XYD. XYD. XYD. Togabo.

—XYD. XYD. XYD. Togabo.

Respondieron unas señales: XYD-NKS, XYD-NKS.

—Escucho. Prosiga.

—Maniobras de las fuerzas navales norteamericanas. Parte de la flota, concentrada en Galápagos. Siete barcos de batalla, treinta y ocho destructores, nueve submarinos y un submarino auxiliar. Varios buques de combustible y carga. Efectuaron un simulacro de proveerse de combustible y hacer reparaciones. Posiblemente se trata de un ataque simulado a la zona del Canal para inutilizarlo, atacando la esclusa de Gatún. Han permanecido tres días y después se han desplegado en alta mar.

El aparato seguía crepitando y Weinhardt miraba el papel donde había traducido en clave su mensaje. Hubo un intervalo de silencio. Luego prosiguió:

—He recorrido la isla en busca de un lugar apropiado para campo de aterrizaje. Hay una explanada natural en Pampa Larga que serviría para el objetivo. Allí podrían operar aviones de combate, aviones pequeños. Sólo hace falta remover las piedras, lo que no tomaría mucho tiempo en caso necesario. Queda a dos horas de mi residencia. Por tres días consecutivos encenderé una fogata por la mañana a las once en el sitio donde está ubicado el terreno. Es menos notorio hacerlo a aquella hora. Podrían pensar que desmonto un trozo de tierra o que elaboro carbón. Ustedes deberán mandar un pesquero a prudente distancia. Iniciaré la operación el día 22. Hoy tocó la Floreana el yate norteamericano del capitán Harrison con ocho científicos e investigadores. Dijo que venían en viaje de exploración y que recorrerían parte de las costas de América del Sur. Zarparon al anochecer para Santa Cruz. No han llegado otros yates. He realizado sondajes en las zonas requeridas. Me falta confirmar algunas cifras para transmitirlas. Comunicaré la próxima semana. Espero instrucciones.

Hubo otro silencio. Después las rayas y los puntos iniciaron otro mensaje. Lo anotó con rigurosa atención.

—No hemos recibido nuevas instrucciones por el momento. El capitán Harrison no pertenece al FBI, pero anda en contacto con ellos. Posiblemente inspecciona las islas. Es menester desconfiar de sus acompañantes y mantenerse alerta a fin de conocer los verdaderos propósitos de la expedición. Desconfíe de ellos, como ellos abrigarán dudas sobre su permanencia en la isla. Retransmitiré.

Las ondas se esfumaron y el zumbido del aparato se contuvo. El doctor volvió a colocar los instrumentos en el mismo sitio. Operaba con pausa, con movimientos lentos, seguro de sí mismo. No abrigaba temores ni sobresaltos. ¿Acaso no era el único habitante de la Floreana? Desanduvo lo andado con rigidez prusiana hasta llegar al *bungalow*. Había olvidado bajar la mecha de la llama y la luz titilaba sobre la mesa que servía de escritorio. Ella dormía profundamente, arropada en la frazada. La miró un largo rato. Sabía que le era indispensable. Había sido la compañera de su peregrinaje en busca de un nuevo mundo que forjó en su cerebro. No obstante, ya no era la misma de antes. Parecía que el tiempo, el aislamiento y el escenario inmutable que les rodeaba hubieran quebrantado la entereza que demostrara en los dos primeros años de lucha implacable. Tomó la lámpara y se acomodó en el corredor para seguir escribiendo:

«En este lugar me puse a labrar la tierra, comenzando por limpiarla de maleza. Nunca creí que el trabajo fuese tan duro, y me sirvió para comprender cuán difícil sería llegar a tener una huerta o jardín en cultivo. Pero, no obstante que tenía las manos desgarradas y los músculos adoloridos, no sentía la fatiga. A cada árbol que caía se apoderaba de mí la alegría del triunfo. El sueño de mi vida se tornaba al fin en realidad completa, y mi esposa y yo aprendíamos lo que es desarrollarse en armonía con la naturaleza.

«Por principio de cuentas maldije muy de corazón las maderas de las Galápagos, completamente inadecuadas para la construcción. No hay aquí más que dos clases de árboles de los que pueda aprovecharse el tronco: unos nudosos y de tal manera resistentes que es imposible clavar en ellos un clavo; los otros, una especie de acacia que crece con todas las ramas torcidas. De los primeros árboles fue imposible aprovechar gran cosa y tuve que contentarme con las ramas curvas de la acacia, adaptando a ellas un proyecto de casa circular.

«Poco después el sol ayudaba con sus rayos a la obstinada acacia en contra nuestra y, en cuanto la casa comenzó a secarse, la madera empezó a retorcerse hasta que nuestro pobre albergue adquirió el aspecto de un extraño esqueleto. Llegamos a temer que el proceso continuase y que a poco la casa se convertiría en un montón de leña; pero el clima maravilloso de los trópicos y la estación de lluvias hicieron a que las ramas empezaran a reverdecer y nos encontramos dentro de una casa de ramas llenas de retoños».

II
París

LA BARONESA Lotte von Rath entró a la sede de la embajada japonesa en París. Había nevado la víspera. El abrigo de piel de visón le cubría las rodillas y le cerraba el cuello; un sombrero encasquetado dejaba al descubierto una parte de su melena corta, clara como la miel. Los ojos grandes y azules, el cuerpo felino, los labios finos, sensuales. Había nacido en Viena. Su padre fue un noble arruinado que se casó con una artista de teatro. Allí se educó los primeros años. Más tarde las circunstancias la llevaron a otras ciudades de Europa. Dominaba varios idiomas y había frecuentado el mundo aristocrático de su época. Heredó una esmerada educación; pero muy poco dinero. La brega por mantener una posición venida a menos azuzó sus instintos de mujer ambiciosa. Dotada de un extraordinario poder de seducción, no exenta de recursos y dispuesta a labrarse una carrera en el campo de la intriga, se casó con el capitán Fontaine, incorporado al Servicio de Información del ejército francés. El enlace le permitió realizar nuevos viajes por los países de Europa y Oriente y mezclarse en los secretos del espionaje durante la primera guerra. El cometido exigía en múltiples ocasiones tener amantes. Esto, en vez de disgustarla, despertó sus instintos de hembra libidinosa, que constituía la característica de su personalidad. El matrimonio no perduró. El capitán y la baronesa se separaron. El fue a rumiar su desencanto y a gozar de su retiro en una provincia de Francia. Ella se trasladó a París. La guerra había terminado. Se instaló en el Bulevar Haussmann, en un segundo piso. Llevó sus muebles tapizados de gobelino, la vajilla con el escudo de la familia y otros objetos valiosos adquiridos en sus viajes. En el departamento pronto se congregaron personajes de cierta importancia, artistas y diplomáticos. No faltarían los amantes dadivosos seleccionados en los círculos financieros. En verano se trasladaba a la Costa Azul, usualmente a la playa de Cannes. En invierno residía en París. La ciudad era por entonces la capital del mundo. Allí acudían gentes de todas partes. Turistas de Norte y Suramérica. Las orquestas de Argentina habían impuesto el tango en los círculos nocturnos. Cantaban Carlos Gardel y Raquel Meller, la amante del revoltoso centroamericano Gómez Carrillo, quien había desafiado a duelo al ilustre novelista Pío Baroja. Don Pío no creía en los duelos. Dicen que fue el precursor del existencialismo. El dinero corría a raudales. Los turistas derrochaban botellas de champaña por docenas en los cabarets de turno. Las revistas presentaban espectáculos sensacionales, con profusión de lujo y mujeres desvestidas. Maurice Chevalier y la Mistinguette bailaban al compás de sus canciones en el casino de París. El marqués del Mérito, casado con la hija del millonario Patiño, magnate del estaño, se paseaba por el bosque de Bolonia en carroza tirada por caballos. Los grandes médicos, los científicos, los intelectuales, recurrían a París. París lanzaba la moda. París invitaba al libertinaje. París imponía sus autores y artistas. La baronesa frecuentaba los lugares elegantes y las salas de té danzante. En "Embassy" conoció a un bailarín del establecimiento que la impresionó desde el primer instante. La invitó a bailar, como era costumbre; para eso le pagaban. Era alto y bien formado, los cabellos ensortijados, las pupilas rasgadas. Dejó a las demás clientes y se puso a bailar con ella. Le dijo que era rumano, de padre norteamericano y madre de Bucarest. Se llamaba Jack Colvin. Ella no deslizó con disimulo los cien francos en su mano como se acostumbraba. Estaba segura de su poder de seducción y aquel detalle quedaba para las turistas norteamericanas que habían sobrepasado los sesenta. Volvió muchas veces al mismo lugar. El las dejaba a todas para bailar con ella. Una tarde la invitó a una de las reuniones en su departamento. El rumano no carecía de atractivo. Era hombre educado, diestro en el trato con el sexo femenino. A veces, demasiado prepotente e inclinado a presumir. Usaba monóculo. No tardó en convertirse en el amante de la baronesa, y debió de ser un amante excelente, puesto que no le abandonó hasta su muerte. Mas las finanzas andaban mal y ella se vio precisada a vender algunas de sus valiosas joyas. Montó una *boutique* de prendas de vestir, pero el negocio no prosperaba. Es más, estaba al borde de la quiebra.

La baronesa miró su reloj. El embajador la había citado a las once y media, pero no había manifestado el motivo de la entrevista. Hacía mucho que conocía al embajador del Japón. Era uno de los comensales que concurrían con frecuencia a sus invitaciones. La baronesa entró algo preocupada. Echó atrás la cabeza, caminó erguida y penetró en la antesala. Un secretario la saludó cortésmente, hizo dos venias inclinando la cintura y le preguntó su nombre. Tardó pocos segundos en regresar, y haciendo nuevas genuflexiones la condujo al despacho del embajador Horikawa. Este se levantó con pausa. El vientre abultado no le permitía moverse con soltura; la cabeza, muy blanca, redonda, de mejillas mofletudas, le hacía parecer un Buda moderno. Tomó la mano de ella y la besó.

—Baronesa. Le agradezco..., le agradezco que haya venido. Tome usted asiento.

—Embajador. Aquí vengo a su llamada. No puede decirme que no he sido puntual. He cavilado mucho sobre lo que usted tenga que decirme. Estuvo muy ceremonioso la otra noche en mi casa.

El embajador sonrió.

—Un asunto privado..., muy privado. De mucha trascendencia.

—Le escucho. Prosiga usted.

—Colvin me ha hablado de usted.

—Y ¿qué podía decirle que no se lo haya dicho yo?

Horikawa permaneció un buen momento en silencio.

—¿Usted no se molesta si le toco un asunto sumamente confidencial?

—Me apasionan los asuntos confidenciales. Puede usted hablar sin reserva.

—Parece que usted colaboró en el Servicio de Información durante la primera guerra.

—Y ¿quién le ha dicho eso?

—Colvin.

—¿Y usted cree lo que dice ese señor?

—Sí. Lo creo..., lo creo. Además he hecho indagaciones.

—Puesto que está usted tan seguro, entonces le diré que sí. ¿Qué importancia tiene aquello, si la guerra ya concluyó?

—Para mi país, mucha. Puede venir otra. Los americanos no nos quieren a nosotros. Aparentemente mantenemos buenas relaciones. Japón es un país muy poderoso. Ya no echan japoneses de San Francisco ni desprecian nuestra fuerza. Alemania está armándose. El ejército envía a sus oficiales a Rusia, a instruir a sus soldados. En cambio, Rusia construye armamento, aviones, tanques para Alemania. "La Sociedad para la Explotación de Empresas Industriales" tiene una oficina en Moscú. Fabrican aviones Junkers en Siberia, obuses, gases asfixiantes, submarinos y acorazados en Leningrado. Veinte mil soldados escogidos se ejercitan en Rusia, en las bases de Voronej, a orillas del Volga. El general Kurt von Schleicher ha montado una organización formidable, muy enmascarada. Nosotros debemos estar prevenidos. Debemos establecer un Servicio de Inteligencia en muchos lugares del mundo, sobre todo en América del Sur.

—¿No me dirá usted que quiere que me convierta en espía japonesa? No olvide usted que soy alemana.

—Vienesa, lo que es diferente. Por lo mismo hemos pensado en usted.

—¿Quiere usted hacerme una Mata Hari japonesa? ¡Qué divertido!

—No una Mata Hari, porque usted sólo servirá al Japón.

—Y¿quién le ha dicho a usted que voy a aceptar tan arriesgada misión?

—Madame —dijo Horikawa—, su situación económica anda muy mal. Dentro de poco usted no dispondrá de los recursos necesarios para mantener su tren de vida. Ha vendido algunas joyas. Le gusta mucho el lujo.

La baronesa permaneció callada. Todo lo que había dicho el embajador era verdad. No había mencionado la quiebra de la *boutique* ni las muchas deudas que la acosaban. Esta era, sin duda, la gran oportunidad tanto tiempo esperada; pero había que negociar.

—Mi situación económica no es boyante; pero es normal. No me hace falta recurrir a situaciones tan arriesgadas. En la última guerra presté mis servicios a fin de ayudar a mi marido.

—A su marido y a Alemania.

—Mi marido era francés.

—Usted colaboró con su marido y con Francia; pero también comunicó secretos militares a los alemanes. Acuérdese de Stubel.

—No le permito...

—Madame —dijo Horikawa—, no se ofenda. Se trata de un *affaire* que le conviene a usted y a mi país. No va usted a desdeñar colaborar con un gran imperio como el Japón.

—Un imperio muy poderoso y muy rico —dijo con sorna.

—Así es. Nuestra grandeza nos cuesta mucho esfuerzo, puesto que necesitamos expansión. Las otras potencias no nos permiten subsistir y atender las necesidades apremiantes de nuestro pueblo.

—Querido embajador. ¿No sería mejor que usted me dijese francamente lo que espera de mí?

—Que colabore con el Japón, baronesa. Usted es una persona muy inteligente. Ha sabido afrontar las situaciones más difíciles, conoce el proceso de las intrigas del Servicio de Información.

—Y todo esto ¿a cambio de qué?

—A cambio de dinero —dijo Horikawa con dureza.

—Espero que no sea por sentimentalismo. ¿Qué debo hacer?

—Cumplir una misión delicada. Difícil por las incomodidades que tendrá que soportar. En todo caso, llena de sorpresas y quizá de aventuras exóticas. Hemos tenido en cuenta su carácter extravagante, sus inclinaciones a la publicidad. Usted intentó ser artista de cine.

—No querrá usted hacerme estrella de cine en Tokio... Mi residencia está en París y adoro París.

—Tendrá usted que dejar París y trasladarse lejos.

—¿No me dirá usted que a una isla desierta?

—Exactamente. Tendrá que ir a una isla desierta.

Los rasgos de la baronesa se descompusieron. La amable sonrisa huyó de sus labios. Comenzaba a perder su sentido del humor. Esperaba una propuesta más en consonancia con sus aspiraciones de lucro y de intriga en una de las grandes ciudades europeas.

—¿Dónde? —murmuró.

—Lejos..., muy lejos. En las islas Galápagos. En una isla que llaman Floreana.

—¿Dónde queda eso? ¿No estuvo allí Darwin?

—Sí, en efecto. Está en el Pacífico, a más de novecientos kilómetros del continente. En Ecuador.

—Embajador. Me está usted tomando el pelo. Es verdad que adoro las aventuras románticas y los viajes exóticos; pero nunca he escuchado hablar de las Galápagos, a no ser por la expedición científica de Darwin y las especies raras que allí encontró.

—Floreana es una isla muy bella. Sólo que está deshabitada. Allí únicamente residen dos personas. El doctor Weinhardt y su compañera. Dicen que han ido allá huyendo del mundo civilizado. Puede ser verdad. Nosotros abrigamos las sospechas de que se trata de un agente de Alemania.

—¿Entonces mi misión será vigilar al doctor Weinhardt?

—No, madame. Las islas son muy importantes bajo el punto de vista estratégico. En la última guerra, los barcos alemanes las utilizaron en diversas circunstancias. Intentaron establecer un depósito de carbón. El capitán Von Luckener huyó de los cruceros enemigos refugiándose allí. Los alemanes promovieron ataques sorpresivos y hundieron varios barcos. En sus costas caben todas las escuadras de batalla de la potencia mejor dotada y sobra sitio para aviones de bombardeo. Constituyen la llave para bombardear el Canal de Panamá y destruir las esclusas, paralizando el tráfico entre las dos Américas. Mire usted eso.

El embajador buscó entre un legajo de papeles que guardaba en el escritorio. Entregó a la baronesa un despacho atrasado de prensa que llevaba la fecha de mayo de 1930.

«El secretario de Marina, Swanson, manifestó a los representantes de la prensa que los Estados Unidos estudiarían la posibilidad de aumentar sus bases navales en el Pacífico si Japón construye una escuadra mayor a la permitida por los tratados existentes».

—Su misión consistirá en observar todo lo que acontezca en esa parte del Pacífico. Movimientos de las fuerzas navales norteamericanas, recorridos con objetivos bélicos de funcionarios, científicos y militares camuflados, establecer señales convencionales para que puedan explorar nuestros pesqueros y submarinos cuando las costas estén libres.

—Me coloca usted en una posición francamente conflictiva, más peligrosa de lo que esperaba. Estados Unidos dispone de muchos recursos.

—Simplemente, usted será la *vedette* de una gran trama que tenemos proyectada. Será la protagonista de un gran tinglado propagandístico. Partirá con su séquito proclamando en la prensa que ha resuelto establecer en las Islas Encantadas un hotel para millonarios estadounidenses y otros turistas que busquen el retiro en el Asilo de la Paz. Usted dispone de relaciones sociales y sabrá desenvolverse. La proveeremos de lo necesario. Desde luego, no para construir un hotel, sino para una residencia cómoda. El clima en la isla es agradable. Una temperatura media de veinte grados. Un sitio muy pintoresco. Contrapartidas: agua escasa, aislamiento absoluto, lucha para obtener el alimento cotidiano porque sus acompañantes tendrán que cultivar los frutos de la tierra y privarse del auxilio exterior cuando las circunstancias no lo permitan. Por otra parte, quien verdaderamente la ayudará, transmitirá los mensajes, se ocupará de la radiotelegrafía, las mediciones y los sondajes, será Jack Colvin, y tendrán otros enlaces sin conocerlos.

—¿Cómo? ¿Colvin anda metido en esto? Nunca me hablaba de nada por el estilo ni me ha manifestado que tenía contactos personales con usted.

—La madre de Colvin no es rumana, es japonesa. El ha prestado valiosos servicios al Japón y es hombre de confianza. No hacía falta que hablara con usted hasta que yo no recibiera instrucciones precisas de mi gobierno.

—No dudo de que el proyecto no carece de fascinación, tiene su lado romántico que concuerda con mi temperamento; pero tanto sacrificio, tanto aislamiento, tanta incomodidad a la que no estoy habituada requerirá, sin duda, una recompensa proporcional.

—Madame, a eso iba. Usted dispondrá de una remuneración importante. (Citó una cifra en dólares, bastante elevada). Cada mes usted la recibirá en una cuenta en clave en Zurich, Suiza.

—No es suficiente. Considere usted todos los factores adversos.

—Lo es. Además, recibirá algunas primas de acuerdo con los informes que obtenga. No puedo extenderme más allá del límite de mis atribuciones. El Ministerio señala cupos para este género de servicios. Le aseguro que es uno de los mejor atendidos.

La baronesa inclinó la cabeza, manteniéndose en una estudiada postura de meditación, y murmuró en voz baja:

—Está bien, embajador Horikawa. Acepto su propuesta. Es menester que me proporcione datos más precisos sobre ese lugar que usted denomina "Floreana", la fecha aproximada de mi partida, el equipaje que debo llevar y otros pormenores.

—Galindo se encargará de ello.

—Y ¿quién es Galindo?

—Un suramericano. Un ecuatoriano que ha residido mucho tiempo allí porque fue colono y desterrado político. Huyó como marinero en un barco francés. Vive hace muchos años en Francia y ha proporcionado informes útiles a Colvin, informes sin mayor importancia, desde luego, pero que han servido para ponernos al corriente de la situación general de la isla, que parece conocer bastante bien. Usted le invitará a su casa. Lo demás lo dejo a su habilidad y *savoir faire*.

—Está bien —dijo la baronesa, poniéndose de pie.

Los ojos del embajador se achicaron. Una expresión maligna surgió en su semblante de aspecto tan apacible.

—Madame —dijo—. Nada de doble juego. Usted será responsable de la clave. Responderá con su vida.

—Horikawa, no hace falta que me lo diga. Después de hablar con usted he conocido a los japoneses.

El embajador se levantó con parsimonia. La piel de su rostro redondo semejaba de nácar, el cuello abultado formaba repliegues de grasa. Había recuperado su rigidez de estatua. Una leve sonrisa se dibujaba en los labios. Acompañó a la baronesa hacia el ascensor. Hizo una larga genuflexión y le besó la mano.

—Hasta la vista, baronesa. Será mejor que no vuelva por la Embajada. Podría despertar sospechas.

En la antecámara de uno de los restaurantes del barrio de Montparnasse, Paul Wernolf se despojó de su chaqueta de camarero, se lavó las manos, peinó sus cabellos y se dispuso a dejar el establecimiento. Eran las cinco de la tarde y debía regresar a las ocho. Había cumplido el horario de su trabajo con desgano, con la misma fatiga habitual. Ojeras violáceas sombreaban sus pupilas azules, que brillaban como el cristal. Aquella tarde había concertado una entrevista con su amigo Oscar Galindo. Debían encontrarse en la terraza de "La Coupole" a las seis. Echó a caminar por la ancha calle atestada de gente. Le enervaba ese tráfago de transeúntes, turistas y prostitutas. Le ahogaba el ambiente que le circundaba. Detestaba el aire viciado de la ciudad y los edificios ennegrecidos por la pátina de la edad. No miraba las vitrinas de los bazares porque no disponía de dinero para comprar nada. Andaba dislocado, inseguro, retirado de la vereda. Cada vez que las circunstancias se lo permitían, huía de la ciudad. Solía trasladarse a Versalles, a Fontainebleau, a donde fuese. Siempre lejos de París. La soledad, los árboles y los jardines le reconfortaban. Respiraba mejor. Reflexionaba con más calma. Se sentía otro hombre. Tomó el *metro*, que se deslizó rugiendo por los pasadizos subterráneos colmados de carbón. El chirrido de los rieles le conturbaba. Los pasillos estaban sucios, cubiertos de papeles dispersos. Desembarcó en una de las estaciones y volvió a subir a la superficie. La luz le hizo sentirse mejor. Respiró varias veces con intensidad. Permaneció un momento sin decidirse a proseguir la marcha. Por fin se animó, mezclándose en el trajín de las calles. Llegó al café y se acomodó en un rincón apartado. Allí se congregaban los turistas, los artistas con sus indumentarias exóticas, melenudos, con pinta de malnochados.

Wernolf recordó sus años mozos, cuando fue estudiante en una universidad de Alemania. Exactamente en Nuremberg. Había estudiado ingeniería mecánica sin terminar los cursos. Sus padres fueron modestos comerciantes que apenas disponían para comer. El colapso de Alemania los había llevado al borde de la quiebra. Allí todo andaba revuelto. Choques en las calles. Bochinches, disturbios por todas partes. Ataques, asesinatos entre las fuerzas opositoras. El Partido Nacional Socialista, dirigido por un excombatiente, cabo del ejército, herido en la última guerra y condecorado con la Cruz de Hierro, llamado Hitler, ganaba terreno en una lucha abierta promovida en las calles de Berlín. El país marchaba a la deriva. Por un costado, las fuerzas nacionalistas; por otro, los comunistas, muy poderosos entonces. En la universidad se afilió al Partido Comunista. Salió a las calles, le rompieron varias veces la cabeza, le fracturaron una costilla. Estuvo a punto de perder la vida. Odiaba a los nazis. Pero era difícil luchar contra ellos. Eran hombres aguerridos, dispuestos a utilizar todos los recursos a su alcance. Poco después sus padres murieron. La situación económica había mejorado un tanto. Vendió el negocio, compartió la mitad con su hermano y se preparó para largarse a cualquier parte. No estaba lejano el día en que Hitler llegaría al poder. Conocía su programa. No le quedaba otra alternativa que emprender la fuga. De lo contrario terminaría en un campo de concentración o sería asesinado. Decidió en primera instancia trasladarse a París; después vería a dónde le conducía la suerte.

Llevaba dos años en la ciudad. A pesar de su cultura universitaria no encontraba trabajo. Se vio precisado a ejercer los menesteres más modestos: camarero, ayudante de cocina, lavador de platos. El porvenir no se le presentaba demasiado brillante. Frecuentó la sede del partido. Allí entabló amistad con algunos camaradas, entre ellos con Oscar Galindo. Por lo demás, el partido no auxiliaba a sus afiliados, a no ser que prestasen servicios determinados.

A principios del año Paul Wernolf comenzó a perder peso. Tenía fiebre por la noche. Una tos seca le arrancaba los pulmones. El trabajo se le volvió insoportable. Recurrió a un médico. Le auscultaron, le hicieron decir varias veces treinta y tres, le mandaron tomarse una radiografía. Encontraron que tenía una caverna en el pulmón izquierdo. Estaba tuberculoso. La noticia acentuó su misantropía. Tornóse evasivo, huidizo, amargado. Pensó en suicidarse.

A las seis y media llegó Oscar Galindo. Exteriorizaba salud y bienestar. Sus facciones tenían rasgos indígenas. Moreno, robusto, de anchas espaldas y brazos largos.

—Perdóname, Paul. No encontraba un taxi. ¿Cómo estás? Hace mucho tiempo que no nos hemos visto.

—Bastante enfermo. Los médicos dicen que debo cambiar de clima.

—Para eso he venido. Tengo una propuesta para ti, una misión que te conviene bajo todo punto de vista. No debes dudar. Es un trabajo para el partido.

—El partido no ayuda.

—Esta vez lo hará. No por ti, sino porque a ellos les conviene.

—Habla. ¿De qué se trata?

—Si procedes con inteligencia podrás obtener lo que te hace falta. El partido sospecha de una baronesa Von Rath, porque la vieron entrar en la Embajada del Japón. Un tal Colvin, que es mi amigo, me ha pedido informes sobre las Galápagos. Me han propuesto que les acompañe a la Floreana para montar un hotel de turismo. Todos los gastos pagados y remuneración extra. Todo esto huele a espionaje. Yo no puedo permanecer allí, pero les acompañaré durante el viaje y me quedaré un tiempo prudencial. Necesitan una persona que vaya con ellos y permanezca en la isla.

—¿Te refieres a las islas Galápagos, donde estuvo Darwin en su expedición a bordo del "Beagle" y escribió sus teorías sobre la evolución de las especies?

—Exactamente. Yo he vivido muchos años allá. Fui penado. Me escapé en un barco francés. Cuando me descubrieron era demasiado tarde y no podían echarme al mar. Desempeñé tan bien todos los oficios que me confiaron que el capitán y la tripulación se hicieron la vista gorda cuando desembarcamos porque no tenía papeles. Un marinero comunista me escondió en Marsella, me proporcionó documentos falsificados, me entregó un poco de dinero. Era un ferviente propagandista de la causa, llevaba folletos y escritos a todos los puertos de América del Sur. Desde luego, me afilió al partido y me consiguió trabajo en la empresa de ferrocarriles. Allí permanecí diez años; después me independicé y establecí un negocio de abarrotes. Me fue bien. Hoy deseo regresar a mi país, volver a Floreana. Es un sitio único en el mundo. De clima excepcional que convendría para tu salud. A lo mejor te curas.

—Explícame quién es la baronesa y lo que debo hacer.

—Presumo que la baronesa es, desde hace quince días, un agente del Servicio Secreto japonés. Es una mujer sumamente atractiva, bastante casquivana, que no peca por defender su castidad. Aquí tienes su fotografía. La baronesa frecuenta por las tardes el café "Berri", situado en Campos Elíseos. Tú intentarás sentarte junto a ella y dirigirle la palabra. El hecho de que le hables en alemán puede ser una ventaja. Debes procurar cultivar su amistad y, si es posible, convertirte en su amante. No es mujer que tenga demasiados escrúpulos. Todo depende de lo que puedas interesarle. Ellos necesitan una persona que les acompañe para atender los quehaceres de la casa, los cultivos agrícolas. Allí hay que procurarse el propio alimento. Es una isla abandonada. Tendrás que servir de camarero, de cocinero, de lo que sea. Lo importante es que acompañes a la baronesa.

—Tú sabes, yo no aspiro a otra cosa que dejar Europa, irme a cualquier sitio, con la baronesa o con quien sea. Pero ¿qué caso me va a hacer la baronesa? Veo por la fotografía que es una mujer de bandera.

—No seas pesimista. Todo se puede arreglar con un poco de ingenio. Vete desde mañana al "Berri", entónate con un par de coñacs y abórdala, con discreción. Si logras conseguir lo que proyectamos estamos de plácemes. De lo contrario, habrá que buscar otros medios. Hasta pronto, Paul, y buena suerte.

Paul Wernolf se confundió en el laberinto de las avenidas, de las calles, de las encrucijadas. Las gentes le empujaban. Por poco le atropella un autobús al cruzar una vereda. Alcanzó a arquear el trasero. Estuvo a punto de caer de bruces. Los transeúntes le daban codazos, le insultaban porque no veía. Atropellaba a todo el mundo. Llegó sin darse cuenta a la plaza Pigalle. Los letreros estaban encendidos, las luces parpadeaban. Los porteros de casaca roja le llamaban. Tenía pinta de turista recién llegado. Le invitaban al espectáculo, le ofrecían mujeres. Le enseñaban los carteles de rubias y morenas con los pechos descubiertos. Aquella noche no regresaría al restaurante. Si perdía el empleo no le importaba. Entró en una cafetería y pidió un emparedado y una taza de café. No tenía apetito. Comió de mala gana. No dejó propina. Volvió a deambular por la calle. El barrio se volcaba con su pujanza nocturna. Parejas por todas partes. El andaba solo. Nadie le miraba. Oyó música y divisó un letrero. Penetró de un salto sin pensarlo dos veces. El lugar era oscuro, decorado con mesas de manteles a cuadros. Se sentó en el taburete del bar y pidió una bebida, luego repitió la dosis. Se sintió más entonado. Las parejas bailaban, el ritmo era lento; algunas se besaban. Una mujer de ojeras tenebrosas vino a su lado. Le pidió candela y le dijo que le invitase a un trago. Hizo una seña al camarero quien sirvió presuroso antes de que se arrepintiera. Siguieron bebiendo. Le bullía la sangre de tuberculoso. Se iría con ella. Cruzaron algunas palabras, las indispensables para pactar el contrato. Permanecieron hasta media noche y después salieron.

Ella le condujo por los arrabales. Ordenó parar el taxi frente a un hotel cualquiera. Un hotel de segunda, de tercera, de última clase. Todos eran iguales. El triple estaba desgarrado, no tenía color.

La grada se quebraba con la madera apolillada. El polvo se amontonaba. Un olor a desinfectante se desprendía de las alcobas desmanteladas. Una vieja vestida de negro con la boca pintarrajeada, cara embadurnada de afeites, igual que un payaso de circo, les condujo por el pasillo y desfundó una llave.

—¿Por horas o toda la noche?

—Por dos horas.

—Veinte francos por adelantado.

Extendió la mano y les quedó mirando de reojo, desconfiada.

—Buenas noches, señores.

* * *

Ocho días merodeó Paul Wernolf por la avenida de Campos Elíseos y la terraza del café "Berri". Sus andanzas fueron vanas; escudriñaba a los concurrentes, se sentaba en una mesa, se paraba en los ángulos, miraba a las mujeres y extraía la fotografía. No cabía duda, la baronesa había desaparecido. Probablemente andaba de viaje. A lo mejor estaba en la Costa Azul o se había marchado para siempre. No tenía buena espalda. Todo le salía mal. Había perdido el empleo. No quería trabajar. Echaría mano de los pocos ahorros que le quedaban. Sin embargo, no había que desmayar. Era la última oportunidad que se le presentaba para salir a flote.

Una tarde creyó distinguir una silueta semejante a la que buscaba. El hallábase fuera pasando y repasando la acera como un detective sin placa. Penetró de un brinco. Estuvo a punto de volcar una mesa. Se agarró de una silleta. El rostro se le encendió de rubor y siguió hasta el fondo del establecimiento para disimular su azoramiento. Regresó a sentarse. Bebió dos *pernods* casi seguidos. Las piernas le flaqueaban. Compró un periódico y se puso a hojearlo. No entendía lo que leía. Miraba a la mujer de soslayo. Era ella y la acompañaba otra señora. La fotografía la desmejoraba. La veía con disimulo y quedaba como atontado. ¡El, amante de semejante mujer! Se contentaría con ser su camarero. Se desocupó una mesa contigua a donde ellas estaban. Esperó un buen rato. Por fin se decidió y se cambió de sitio. Era rubia la condenada y con las pupilas muy grandes. Insinuante. Le echó una mirada furtiva. El *pernod* le había despabilado, se atrevió a contemplarla de frente y hasta intentó una sonrisa estereotipada. Escuchó que hablaban en alemán. Hizo un esfuerzo supremo y trató de dominarse.

—Perdón. ¿Ustedes son alemanas?

La voz se deslizó sorda, entrecortada; era la voz de un adolescente intimidado. Transcurrió un silencio de segundos que le parecieron años. Posiblemente había metido la pata, le faltaba mundo, un poco más de soltura.

—Soy vienesa —dijo la baronesa—. ¿Es usted alemán?

—Sí, de Nuremberg. Hace mucho tiempo que no hablo mi propio idioma y es por esta razón que me he permitido dirigirles la palabra.

—Estamos en Francia. Pocos alemanes andan en estos tiempos por aquí. ¿Habla usted francés?

—Sí, desde luego. Más o menos. Hablar un poco de alemán después de tanto tiempo es un motivo de satisfacción.

—Tiene usted un semblante de mostrarse muy nostálgico. Se nota que echa de menos a su país. ¿Reside usted en Francia o ha venido circunstancialmente?

—Resido en París de momento.

Ella sonrió con aire maternal. No estaba mal el jovenzuelo, de aspecto desmedrado, ojos brillantes y palidez de poeta de principios de siglo.

—Soy la baronesa Von Rath. Mi amiga es Cynthia Cannon, norteamericana, casada con un alemán. Nos conocimos en Berlín y da la coincidencia de que nos hemos encontrado en París. Ella está de paso. Yo vivo aquí. Viena ha cambiado.

—Estuve en Alemania hace mucho tiempo —dijo Cynthia Cannon—. Me interesaría saber lo que está ocurriendo allí.

—Cuando dejé Berlín todo andaba revuelto. El Partido Nazi pronto llegará al poder. La democracia quedará destruida y todos los demás partidos, abolidos. Sólo prevalecerá uno: el nacionalsocialismo.

—He sabido que la mayoría de los alemanes siguen a Hitler y están de acuerdo con sus ideas nacionalistas. Piensan que ha llegado el momento de reclamar ciertos derechos y sacudir el yugo del Tratado de Versalles.

—Así será —exclamó Wernolf—; yo no comulgo con el nazismo y por ello he salido de Alemania.

—Cynthia, debemos marcharnos. Tengo que cambiarme de vestido para ir a comer a casa de los Laporte.

—¿Cómo se llama usted?

—Paul Wernolf. Espero tener la ocasión de volver a encontrarme con ustedes.

—¿Por qué no? Resido en el Bulevar Haussmann. Mejor será que tome nota. Bulevar Haussmann, número 118. Mi teléfono es Fridland... Puede usted llamarme por las mañanas y venir a casa para que no olvide el alemán. Adiós.

* * *

Al día siguiente por la tarde, Galindo y Paul Wernolf se presentaron en la sede del Partido Comunista de Francia. Les recibió un sujeto de cuerpo desgarbado, mirada de águila y nariz torcida. En otros tiempos fue minero. Después, dirigente sindical, promotor de huelgas, enlace entre trabajadores de distintas empresas y, por fin, una de las figuras más destacadas del movimiento revolucionario. Jefe de agitación y propaganda. Había viajado a Rusia y completado un curso de marxismo-leninismo. Fue adiestrado en otras disciplinas de manejo de armas y sabotaje. Cuando el jefe titular se hallaba ausente él lo remplazaba. En todo caso, nada se hacía sin su consentimiento. Moscú le había otorgado poderes ilimitados. Constituía el hombre de confianza en el movimiento de masas. Se llamaba Henri Baucaire.

—Buen trabajo —dijo Baucaire—. El camarada Galindo me ha informado del encuentro con la noble baronesa. No está mal para comenzar. Es menester coronar el trabajito. Tienes el camino despejado. He hablado con Thorez y se muestra satisfecho. Por lo visto intentan armar un sistema de informaciones. El Japón siempre tendrá problemas con Moscú. Ya nos quitaron la Manchuria y tuvimos que vender los ferrocarriles. De la actitud del Japón en lo futuro depende el potencial de maniobra de Rusia. He creído oportuno comunicar a Moscú sobre la sospecha que mantengo. Hotelitos de lujo en una isla abandonada. Lo que quieren los nipones es atacar a Estados Unidos. Volar el Canal; posesionarse de las islas. Ellos preparan sus planes con la debida antelación. Moscú nos ha dado carta blanca. Tendrás que romperte el alma, camarada; pero tendrás que ir en la expedición del hotelito para millonarios.

—Apenas la conozco —murmuró Wernolf entre dientes—. Nunca se sabe cómo le salen a uno las cosas.

Le molestaban la verborrea de Baucaire, su nariz de cuervo, la seguridad de sus aseveraciones. No le importaban los nipones ni el Canal. Sólo aspiraba a largarse de París cuanto antes. En todo caso debía ser leal al partido, tanto más si le financiaban el viaje y la permanencia.

—Escucha, camarada —prosiguió Baucaire—. El asunto no es tan difícil. Procura seguir mis instrucciones. En primer término, invitarás a la baronesa a cenar en un buen restaurante. Pongamos la "Tour d'Argent", aunque no sea lugar apropiado para proletarios de tu categoría. Tendrás que hacer un sacrificio. El partido te proveerá de fondos para gastos generales.

Rió, enseñando los dientes amarillos, desgastados por el tabaco.

—Aquí tienes cinco mil francos. Si la noble baronesa te habla de la empresa del hotelito no demuestres demasiado interés; pero sí el suficiente para halagar su vanidad. Le manifestarás las razones que tienes para marcharte de Francia y emigrar a cualquier sitio. El clima de París no te va. Y aquí viene la clave del problema. Le ofrecerás cuarenta mil francos para ayudar a montar el hotelito. La baronesa adora el dinero y por esa suma te llevará a la China. Invertirás la herencia de tus antepasados en la empresa. Tu misión no será nada extraordinaria: aguantar a las focas, no dejarte picar por los ciempiés y proporcionarnos alguna clave. Tenemos agentes en Guayaquil y uno en la isla Santa Cruz. Buena suerte, camarada. Comunícate con Galindo. No vuelvas a pisar el local del partido. Podrías volverte sospechoso y echaríamos todo a perder. Galindo y Wernolf salieron por la puerta trasera, que daba a una calle lateral abandonada.

—Te invito a comer —dijo Galindo—. Lo que te han dado no alcanza para despilfarros.

Tomaron un taxi y se detuvieron en un pequeño restaurante del Faubourg St. Honoré. Durante la comida, Galindo le fue instruyendo sobre la posición y condiciones de las islas. Le relató que lo habían llevado a la Isabela por un accidente desafortunado. En una reyerta cuando muy joven, casi adolescente, se le fue la mano y dejó muerto a su contrincante de una cuchillada. Le condenaron y le mandaron a la Isabela. Conoció Santa Cruz y luego le trasladaron a la Floreana. Allí habitaba en las cuevas, acarreaba leña, labraba la tierra, sembraba limoneros y guayabales. Los guayabos habían invadido las islas. Crecían como hierba mala. Daban una fruta que no se conocía en Europa y con la cual se fabricaba una jalea muy cotizada; también producía un zumo refrescante. Llegó un momento en que el jefe del campamento los trataba como esclavos y decidió fugarse.

* * *

Paul Wernolf llamó varias veces por teléfono a la baronesa Von Rath. La invitó a tomar el aperitivo. La visitó en su departamento, donde le presentaron a otras personas que hablaban alemán. La baronesa tenía, sin duda, singulares atractivos. Cada día le gustaba más. El hablaba poco o no hablaba. Prefería escuchar a los demás. Los cinco mil francos le sirvieron para comprar un traje, dos camisas y otros menesteres. Andaba bien presentado, con los nervios relajados. La tos, sólo esa maldita tos, no lo dejaba tranquilo. A veces, el rostro se le amorataba. Quedaba hecho un espantajo. Le dolían los huesos. Vomitaba después de las comidas. La fiebre no le dejaba dormir y se despertaba sudoroso. Ella nunca le habló de sus proyectos ni de las perspectivas de montar el hotel. El la acompañaba, silencioso; se sentaba a su lado como un perro faldero. La miraba extasiado, intentaba adivinar sus caprichos para complacerla. No quería separarse de ella. No lo hacía por el partido ni por Galindo, ni por nadie. Lo hacía porque la hembra le encelaba cuando se insinuaba a la entrega.

Por fin la invitó una noche a cenar en la "Tour d'Argent". Debía mostrarse dadivoso, hombre de mundo. Tomó un automóvil y fue a buscarla en el departamento. Ella vino de negro con el escote bien abierto, las joyas en la pechera, el abrigo de piel. Olvidó sus sinsabores, las inquietudes de su existencia sin rumbo. Las luces, el Sena, los vehículos encandilados, los letreros luminosos; todo le amortiguaba. Un *maître* de chaqueta roja los condujo hasta el ascensor y los ubicó en una mesa del segundo piso. El suelo estaba alfombrado. Los muebles, de estilo. Ordenaron caviar y vodka y un pato a la naranja con una botella de Borgoña añejo. Hablaron y rieron. Ella le trataba como a un niño. A él no le molestaba.

—"Bien, mon petit". Nunca me has dicho nada de ti ni lo que haces en París.

—No mucho. Vine cuando se murieron mis padres. Me dejaron una pequeña herencia. No quería vivir en Alemania. Vine a París y aquí me he quedado.

—Dime, ¿haces algo? ¿Trabajas o andas de turista?

—No dispongo de recursos como para andar de turista. Trabajo en lo que puedo.

—Dime lo que haces.

—Pues trabajo en lo que puedo, incluso de camarero.

El rostro de ella se desfiguró un tanto, dejó de reír, lo miró asombrada.

—No me dirás que estoy en la "Tour d'Argent", el restaurante más caro de París, comiendo con un camarero.

—Así es. Las circunstancias...

—¿Qué circunstancias?

—He sido estudiante universitario de ingeniería mecánica. De nada me ha servido. No he conseguido trabajo. Será porque soy alemán.

—¿Así que te estás gastando el sueldo de un mes para cenar conmigo?

—A lo mejor. Y ¿qué importa? Tú me gustas demasiado.

—¿Tanto te gusto?

—Más de lo que crees.

—¿En tan poco tiempo?

—El tiempo no cuenta. Los días pueden ser horas, o al revés.

—Te diré que tú también me gustas. Pareces un niño grande maltratado por la vida. Un chico desafortunado. Ya te llegará tu turno. Pidamos otra botella de vino. Supongo que no desequilibrará tu presupuesto.

El restaurante se había colmado. Gente elegante. Mujeres vestidas a la moda. Gargantas acariciadas de perlas. Caballeros galantes. El camarero sirvió más vino, luego tomaron coñac. Estaban alegres. Dejaron el restaurante y caminaron junto al muro del Sena.

Aguas negras sin corriente, al menos con corriente adormecida. El la enlazó de la cadera. Ella no dijo nada. La besó. Vibraba como una cuerda templada. Los labios de ella le sofocaban y ardían en la noche de invierno.

—Ven a mi departamento —murmuró.

Tomaron el primer vehículo que pasaba. Las calles desfilaban, los pitos aturdían, la ciudad se engalanaba de armonía, de líneas sobrias y bien trazadas.

En el piso bebieron whisky. Ella tenía brazos largos y acariciadores. Cuerpo gatuno. La llevó a la alcoba y allí transcurrió la noche. Se despertó bien entrada la mañana. Le dolía la cabeza. La boca, amarga. Las extremidades, adoloridas. La pasión le había extenuado. No quería dejarla porque por primera vez creía encontrar lo que tanto había anhelado.

—"Mon petit". Es menester que te marches. La camarera no tardará en venir. No está bien que nos encuentre encamados.

El se levantó maquinalmente. Recogió la camisa, los pantalones, la chaqueta, dispersos en el suelo. Una fuerte tos le acometió de pronto. El cabello, desgreñado; el traje, lleno de arrugas. Abandonó el departamento. Corría un viento frío, pero apenas lo sintió. Avanzó hasta la Estrella. Se confundió en las avenidas. No sabía a dónde ir.

* * *

Regresó donde ella cuantas veces lograra que le recibiera en el mismo aposento. Ella se esquivaba; andaba con otros. Salía a las salas de fiestas y regresaba al amanecer. El esperaba, taciturno, que le diese una pitanza.

Pidió más dinero al partido. A veces la llevaba al barrio latino, le enseñaba los cafés de los bohemios, los estudios de los artistas, las calles de las busconas. Por fin ella le habló de la expedición que preparaba. La había visto comprar telas de lona, armas de fuego, machetes, martillos, herramientas, alambre de púa.

—¿Para qué quieres esas cosas?

—Me marcho a una isla encantada a establecer un hotel. Los negocios no prosperan en París. He cerrado la *boutique*. No puedo mantenerme de deudas. Además, me conviene un largo reposo.

—No me habías dicho nada.

—Ahora te lo digo. Me voy a las Galápagos, al fin del mundo, a vivir como un anacoreta, entre pájaros, reptiles, focas y pulpos gigantes. Allí estableceré mi paraíso. El clima es magnífico y el paisaje, incomparable. He leído mucho sobre las islas y creo que nunca terminaré la bibliografía.

—También yo he leído sobre el archipiélago. Siempre me ha interesado. ¿Por qué no me llevas?

—Porque no sabes trabajar.

—Haré lo que tú quieras. Tengo conocimientos de ingeniería y podré ayudarte a levantar el edificio. Cultivaré la tierra. Estoy enfermo y necesito cambiar de aires y, sobre todo, abandonar Europa. Llévame contigo, por lo que más quieras.

—No es mala idea —dijo la baronesa—. Has sido camarero y yo necesito uno para el hotel. Por otra parte, me hace falta una persona que trabaje en la chacra. Desgraciadamente eres demasiado frágil.

—El cambio de clima, el mar, el trabajo al aire libre me volverán fuerte. Trabajaré para ti y seré el camarero del hotel con tal de estar a tu lado.

—Dime, ¿qué tienes?

—El clima de París no me sienta. Tengo fiebre, asma, no sé lo que pueda tener.

—Pobrecito. Allá te repondrías, pero desgraciadamente voy acompañada de dos ingenieros. El costo del viaje es muy elevado y no se diga los gastos de instalación. Ellos financian una parte considerable.

—Yo daría la mía. Me queda un resto de mi herencia y te lo entregaría.

—¿De cuánto dispones?

—De cuarenta mil francos.

La baronesa lo miró incrédula. La cifra no era despreciable. Serviría para el pasaje y muchos otros gastos de artículos de lujo que no estaban comprendidos en el presupuesto de los japoneses.

Además, el muchacho le agradaba. Poseía temperamento y le satisfacía hasta cierto punto. Sabía que estaba enamorado de ella. ¿Por qué no llevar dos amantes? En la isla no había hombres.

—Te llevaré conmigo con una condición. Tendrás que trabajar en lo que sea y servir de camarero; pero primero tengo que consultar con Colvin.

—¿Quién es Colvin?

—Mi socio, un ingeniero que financia el viaje. El promotor de la empresa turística.

Al día siguiente la baronesa habló con Colvin.

Este se opuso terminantemente a llevar a un desconocido. ¿Quién garantizaba su comportamiento?

¿Qué antecedentes tenía? La isla era demasiado reducida para eludir a un extraño que habitase bajo el mismo techo y compartiese una vida en común no exenta de serias responsabilidades. ¿Dónde le había conocido? La baronesa respondió que se lo habían presentado en una reunión de personas de confianza. Se trataba de un estudiante de ingeniería que podía serles útil. Era un joven ingenuo, timorato, desprovisto de personalidad. La suma que ofrecía no era nada despreciable. No estaban en condiciones de rechazar cuarenta mil francos en aquella época de penuria. El chico parecía discreto, hablaba muy poco; sólo anhelaba curarse. Parecía un poco tuberculoso; pero allí se sanaría. Casi todos eran tuberculosos en París y, sin embargo, pocos morían. Les mandaban a las montañas de Suiza y se recuperaban. Nadie había descubierto todavía la medicina curativa. Cuando la descubrieron vino el cáncer, y así hasta la consumación de los siglos. Sol, aire puro, reposo era lo indicado en estos casos. Allá los tendría. No le harían trabajar demasiado. Llegaron a un acuerdo. Colvin aceptó llevar a Wernolf en calidad de camarero.

La baronesa Von Rath no malgastó su tiempo durante los meses anteriores a la travesía. Recopiló todos los libros escritos sobre las islas galapaguenses que se vendían en las librerías de los anticuarios. Leyó detenidamente a Darwin y se interesó con sus teorías, revisó *The World's End*, de William Beebe; los libros de Banks, Baur y tantos otros de científicos, viajeros e investigadores. Acudió al consulado del Ecuador, a la avenida Wagran 91, y conoció al *atta-*

ché de la legación, un cierto señor Aguirre, que se mostró entusiasmado ante los planes de la baronesa. Le proporcionó nuevos informes. Le obsequió un volumen: *Las Islas Encantadas o el Archipiélago de Colón*, de Bognoly y Espinosa. Cuanto más leía más se acrecentaba su interés por arribar al Pacífico y refugiarse en esos parajes escondidos poblados de animales raros y tal vez un día proclamarse la emperatriz de las Galápagos. Los eventos imprevistos habían hecho dar una voltereta a su existencia azarosa. A comienzos de verano, la baronesa Von Rath, Jack Colvin, Oscar Galindo y Paul Wernolf tomaban un tren para dirigirse a Amsterdam. Allí les esperaba un barco con destino a Guayaquil. La navegación era larga, las máquinas funcionaban a ritmo lento; el vapor se detenía en todos los puertos para transportar carga, mas no restaban muchos para escoger. Las embarcaciones zarpaban de Amsterdam y tarde o temprano llegaban a Suramérica.

III
Berlín

BERLÍN, 1932. Un hombre, de esqueleto angulo-so, con lentes de cerco dorado, subió la escalera del Ministerio de la Guerra, atravesó muchos pasillos y entró en una de las dependencias que servían de antesala. El general Von Schleicher ocupaba la cancillería. El mariscal Hindemburg había sido reelegido presidente de la república alemana. Adolfo Hitler era el dirigente político más destacado de la época puesto que su partido había obtenido el año anterior trece millones de votos. Se hallaba en condiciones de inundar las calles con cuatrocientos mil hombres repartidos en las secciones de asalto denominadas "S.S.". A principios del año venidero llegaría a canciller del Reich y nadie lograría defenestrarle hasta el día en que se pegase un tiro, tomase veneno o hiciere las dos cosas a la vez en un *bunker* subterráneo de un Berlín arrasado por las llamas.

Eran las seis de la tarde. Un capitán esperaba al recién llegado y le hizo entrar sin demora. El despacho era rectangular, construido en profundidad y sumido en la penumbra. Al fondo se vislumbraba un escritorio y detrás, dibujada, la silueta de un oficial vestido de uniforme. Transcurrieron largos instantes de pausa. Una voz ronca, con acento de mando, habló por fin.

—Sargento Gunter Lindemann.

—A las órdenes, Herr coronel.

La cabeza se inclinó levemente. Abrió un cartapacio y extrajo una hoja de servicios.

—Exsargento en la última guerra. Prestó servicios en la Compañía de Ingenieros del Segundo Batallón de la Quinta División. Treinta y nueve años de edad. Servicios distinguidos. Herido dos veces. Condecorado. Natural de Warburg. Católico. Casado con Matilde Reinhard. En su profesión civil se dedica a la agricultura. Hoy ocupa un empleo sin importancia y trabaja en una pequeña granja.

—Sí, Herr coronel.

—Bien —dijo la voz—. Alemania necesita sus servicios.

Lindemann no respondió. Hubo otro prolongado silencio.

—Sargento: Alemania necesita sus servicios en funciones exclusivas y confidenciales de la Abwehr (servicio de contraespionaje del ejército alemán). Escúcheme bien: de la Abwehr. El ejército ha creado una "Organización Mundial de Influencia Alemana". Es menester recuperar nuestra posición como potencia mundial. Todos los alemanes en todos los rincones de la tierra deberán prestar su contingente y, de acuerdo con los informes que poseemos, lo están haciendo. El capitán de corbeta Canaris, entre sus múltiples labores de exploración y viajes alrededor del mundo, ha realizado un crucero a América del Sur. Ha visitado algunas islas del Pacífico y las islas Galápagos, y las considera un lugar de singular importancia estratégica. En la guerra pasada se encontraron allí las unidades navales alemanas y la flota del almirante Von Spee sorprendió y destruyó una escuadra británica cerca de la isla Coronel. Por su importancia, el ejército necesita que un agente se traslade a una de ellas. Usted deberá ir allá.

—Herr coronel, tengo familia.

—Irá con la suya.

—Entiendo que son islas deshabitadas, sin recursos.

—En parte sí; pero para un alemán aquello carece de importancia. Usted llevará provisiones y todo lo necesario para obtener en el futuro lo suficiente para su subsistencia. Le hemos señalado una donde en otras épocas prosperó una colonización. Es tierra generosa a pesar de ser volcánica. No carecerá de lo indispensable.

—Herr coronel, ¿no podría prestar cualquier otro servicio, donde sea dentro de Alemania? No deseo abandonar mi país.

—No, por la simple razón de que usted es antinazi y está contra la ideología de Hitler. Usted pertenece al Partido Socialista y por ello le hemos elegido. Después de pocos meses Hitler asumirá el poder y gobernará en Alemania. Una mayoría del ejército no comulga con sus ideas ni con sus planes de expansión prematura. Su mujer irá a parar en un campo de concentración o será purgada puesto que tiene ascendencia judía. Tenemos su ficha. Usted pertenece a la masonería, en un grado inferior, desde luego. El nazismo va a exterminar todas esas fuerzas. No creo que tenga ninguna alternativa ni muchas posibilidades para escoger.

Hubo otro intervalo de silencio. La voz cavernícola repercutió con más fuerza en el aposento.

—El Estado Mayor del Ejército ha decidido mantener su independencia política. No intenta compartir los errores futuros del Partido Nazi. "La Organización Mundial de Influencia Alemana" nunca estará al servicio de Hitler. Ellos tienen sus medios de información. Nosotros, los nuestros. La organización constituye "una reserva y custodia del prestigio y del porvenir de la Alemania auténtica". En principio, no buscamos la guerra, al menos hasta estar bien seguros de que vayamos a la victoria. La inteligencia y la astucia son más poderosas que la fuerza en determinadas circunstancias. La Reichswehr operará por su cuenta. Usted servirá a la Abwehr y nunca el Partido Nazi deberá enterarse de su cometido.

—Herr coronel, en vista de estos antecedentes, ¿en qué consistirá mi misión?

—El capitán Steggman le pondrá al corriente de sus actividades. Usted seguirá un curso de un mes en una de las dependencias del Estado Mayor. Después de dos meses, usted y su familia deberán encontrarse en la isla que hemos seleccionado para el objetivo, la isla Floreana, al sur del archipiélago de las Galápagos.

Lindemann no se atrevió a contestar. ¿Qué podía objetar? Sabía que todo lo que le había dicho el coronel era exacto. Estaba condenado de antemano a la purga o al exilio, con mayor razón ahora que el ejército le había confiado un secreto trascendental. Salvaría a su mujer, salvaría a su hijo y quizá su propio pellejo.

—Sargento Lindemann. Esperamos que cumpla su deber como un soldado alemán. Cualquier infiltración sobre la misión que le hemos encomendado significaría que presentaremos oportunamente su ficha, que presumimos no la conocen todavía. Me olvidaba un detalle. En la Floreana reside un doctor, Weinhardt, de quien usted habrá oído hablar por los periódicos. Cuando el Estado Mayor se enteró de que viajaba a su destierro voluntario por motivos personales, le solicitó que colaborara en ciertos trabajos de información respecto de las condiciones topográficas de las islas y otros pormenores. Ha prestado importantes servicios y ha enviado valiosas investigaciones. Ocurre que el doctor Weinhardt pertenece al Partido Nazi y ha dejado de dispensarnos su confianza.

Nosotros no lo sabíamos por aquel entonces. Hemos sido informados a última hora. El doctor Weinhardt continuará colaborando por el momento hasta que tengamos la ocasión de incorporarle al Servicio de Inteligencia del Partido Nazi, con el cual mantenemos relaciones aparentemente cordiales en los asuntos que atañen al bien de Alemania. Usted mantendrá relaciones normales con él; posiblemente necesitará su ayuda. Por ningún concepto y en ninguna circunstancia dejará traslucir lo que usted representa. Le dirá que ha leído sus artículos científicos y que ha ido a buscar la salud de su hijo enfermo. Para nosotros será desde hoy el agente H5. Antes de su partida volverá a entrevistarse conmigo.

—Cumpliré sus órdenes, Herr coronel.

Hizo taconear los zapatos aunque no llevaba uniforme. Costumbres de la otra guerra. Un movimiento instintivo que no logró evitar. Echó a andar por los pasillos oscuros, por las dependencias administrativas. Regresó a la modesta pensión donde se hospedaba. La familia estaba distante. No la vería por algún tiempo.

Un mes más tarde Gunter Lindemann, su mujer y su hijo iban también camino de Amsterdam. Los viajes por vapores holandeses eran más económicos, más familiares, aunque tomaban tiempo. Llegaron a Guayaquil después de una penosa travesía. Allí tuvieron que efectuar otra larga espera. Los barcos para las islas Galápagos zarpaban sin itinerario fijo. La compañía noruega de vapores había suspendido sus viajes regulares. Por fin obtuvieron pasajes en una embarcación del gobierno. Después de seis días y seis noches de navegación divisaron la isla Hood. La bordearon, contemplando los grandes arrecifes y las hendiduras de las rompientes. Las rocas de lava negruzca se alzaban igual que promontorios imponentes que se bruñían con el sol y el vaho del oleaje. Era ovalada, configurada por los escollos que se extendían a lo largo de sus costas. Trozos de piedra informe dispersos en la planicie escabrosa. Acaso Lindemann pensó como Ortega y Gasset, si lo hubiese leído:

«¡Qué emoción al arribar junto a este rebaño de islas negras, perdidas en el océano, bloques de lava bruna que terminan en encías de cráteres».

El barco seguía avanzando. El tiempo tornóse gris, brumoso. Llegaron a San Cristóbal, la capital del archipiélago. Allí también los macizos de roca se alzaban desafiantes. A uno de ellos lo llamaban "el león dormido". El capitán se negó a seguir viaje a la Floreana. Hacía mal tiempo, las rutas eran peligrosas. Les recibió el comandante Quintanar, jefe territorial que acababa de asumir el cargo. Trámites y papeleos. Al comandante no le gustaban los gringos ni tampoco los colonos. Estos se dedicaban a quitar la mujer del prójimo y crearle problemas. Un periodista que visitó las islas había escrito al respecto:

«Las mujeres del archipiélago, con muy escasas excepciones, son más feas que el demonio. Las que no son tuertas, calvas y derrengadas, tienen el abdomen hasta las rodillas, el sebo hasta los talones, y las curvas, precisamente donde no debían estar, y, sin embargo, mírenlas pasar por las calles andando majestuosamente y recibiendo palabras almibaradas de los rebuscadores. ¡Es de ver el donaire principesco que se gastan, y tienen razón! Ellas son necesarias. Ellas son únicas. Y no es culpa suya si son reinas por lo menos de cinco varones al día».

Los Lindemann tuvieron que permanecer muchos días en San Cristóbal. El otro velero anticuado con maderamen apolillado estaba de viaje por otras islas. El tiempo pasaba y el barco no volvía. Una mañana apareció, por fin, en lontananza. El comandante, que estaba harto de los nuevos huéspedes, ordenó al piloto que los llevara cuanto antes. No quería más gringos en su territorio. Ya le habían molestado demasiado. El bote, con las velas desplegadas, volvió a internarse en el mar pintado de brochazos verde oscuros. Navegaba a la deriva. No alcanzaba a tocar la playa porque las olas le llevaban hacia la Isabela. El agua dulce principiaba a escasear. El viento soplaba bravío. Poco a poco se amainó su embate y las corrientes se calmaron. Enfilaron a la ensenada de Playa Prieta. Los grumetes echaron una piedra amarrada que sirvió de ancla. Una piragua de remos les dejó en la orilla. Arrojaron los bultos, los cajones, los sacos de comestibles, los tallos de las plantas, las raíces de los frutales. Quedaron solos en la playa desierta; sólo la lava lustrosa les circundaba. Volaban bandadas de pinzones, de gaviotas, fragatas de gargantas enrojecidas, de alas oscuras.

—Hemos llegado, Matilde —dijo Lindemann—. De aquí no saldremos.

Ella contenía las lágrimas. Estaba extenuada. No había dormido. El mar le mareaba. Los perros se alejaron con saltos zigzagueantes. El hijo emitía voces entrecortadas, ininteligibles, gruñía, movía las manos para hacerse entender. El hombre se puso a romper las tablas con el hacha. Armaron las carpas. Prendieron fuego y se bañaron en el agua transparente. El y el hijo se internaron después entre los arbustos escuálidos: palosantos, algarrobos, moyuyos. Ella abrió las conservas y destapó el agua dulce para la primera comida. El padre y el adolescente regresaron muy entrada la tarde después de fatigosa marcha. Cenaron todos con apetito desmedido y se echaron sobre el suelo de lona, en los colchones de caucho.

Gunter Lindemann extrajo un pequeño plano del bolsillo del pantalón.

—Ante todo tenemos que visitar al doctor —dijo.

Principiaron a remontar la pendiente. La vegetación arisca se imprimía de tintes color de olivo. Ondulaban las colinas cubiertas de verdor. Asnos plateados se escondían en los chaparros. En el laberinto de piedra y tierra rojiza yacían cráneos y huesos calcinados de animales muertos. De pronto, se abrió en el paraje un trozo de suelo feraz. Una entrada de dos troncos rústicos, con palos nudosos como travesaños. El esqueleto de una cabeza de toro la resguardaba. Un poste retorcido con una campana. Apareció el doctor con el gesto adusto, la frente surcada de arrugas, e instantes más tarde, Grete Riedel, vestida con una túnica blanca que acababa de echarse encima.

—Profesor Weinhardt. Soy Gunter Lindemann y ésta es mi familia. Llegamos ayer, y hoy, a primera hora, nuestra visita ha sido para usted. Hemos leído sus artículos en Berlín y éstos nos han estimulado, entre otras cosas, a venir hasta aquí. Aspiramos a formar nuestra propia chacra lejos de todo contacto con el mundo.

—Y ¿qué tienen qué ver mis artículos científicos con su venida?

—Tenemos un hijo enfermo —murmuró Matilde—. Usted habla del clima de las islas, que cura muchos males.

—¿Qué tiene su hijo?

—Es retardado. No puede articular las palabras. No obstante, se da cuenta de todo. No es normal, está poco desarrollado, es enfermizo, delicado.

—No creo que sea el caso. En Alemania hay magníficos institutos de recuperación. En lo que se relaciona a su salud física, el clima de la isla le robustecerá.

—Hemos ensayado algunos institutos. Hoy sólo confiamos en la medicina natural que usted preconiza.

—¿Y sólo por esto han venido ustedes desde tan lejos? —dijo Grete con displicencia.

La pregunta molestó a Matilde. Estuvo a punto de responderle una frase hiriente. Mas había que mantener la compostura.

—Sí. Hemos venido por él; al fin de cuentas es nuestro único hijo, y por otras circunstancias.

—¿Qué circunstancias? —exclamó el doctor.

—La situación política en Alemania. Mi marido ha intervenido en política. Es socialista. Tememos las represalias.

—Sí. He militado en el Partido Socialista —dijo Lindemann.

Al escuchar el nombre de su país, los rasgos del doctor se distendieron en una expresión de nostalgia.

—Yo no sé nada de lo que ocurre en el mundo civilizado. Sin embargo, me gustaría que usted me hablase de la situación de Alemania. Tengo entendido que algo está pasando allí.

66

—El nacionalsocialismo está prácticamente en el poder. Se dice que dentro de pocos meses Hitler será canciller.

—Y ¿qué tiene esto de particular?

—Se establecerá un nuevo orden. Quedará implantado el racismo, que se convertirá en una nueva religión que absorberá al cristianismo y al humanismo. La raza superará al individuo. El hombre será sacrificado en la sociedad colectiva, dejará de ser libre para integrar una comunidad que se impondrá por el hecho de haberla constituido la raza germánica.

—La primera teoría coincide con el luteranismo nacional y autoritario.

—Soy católico —exclamó Lindemann—. El arzobispo de Maguncia prohibió a los católicos afiliarse al nazismo. Además, soy socialista.

—Qué combinación tan extraña —dijo Grete con cierta sorna.

—Bien —dijo Weinhardt—, les llevaré a conocer mi plantío. Ustedes se darán cuenta de lo que produce la tierra.

El contraste de la naturaleza era extraordinario. La playa de lava yerma, con sus animales exóticos, el jardín, el huerto del doctor, donde crecían una gran variedad de frutas.

—Ustedes han venido a radicarse en la isla. Han visto sus posibilidades; pero nosotros hemos buscado este refugio para mantener nuestra absoluta independencia. No cultivamos amistades, ni relaciones sociales. Tendrán que ubicarse a cierta distancia de aquí, en el lugar que estimen conveniente. Tal vez cerca del Cerro de las Cuevas, donde hay una pequeña vertiente. El problema que existe es la falta de agua en la época de verano. Es menester racionarla. No quiero dificultades en ese sentido. A nosotros no nos gusta ser interrumpidos en nuestras ocupaciones. Les ayudaré en lo que pueda hasta que se orienten en el sistema de laboreo. Mas lo que apreciamos ante todo es nuestra soledad integral.

—No les molestaremos, profesor —murmuró Matilde—. Mi marido y yo trabajaremos para obtener el sustento. No intentaremos interrumpirles en sus quehaceres. Alguna vez, quizá..., un consejo.

—Está bien. Así marcharemos de acuerdo; les deseo buena suerte. Hasta que construyan su vivienda deberán albergarse en las cuevas, como nosotros lo hicimos en un principio.

Grete apenas tendió la mano a Matilde Lindemann. El profesor se mantenía rígido. Dejaron el valle y emprendieron el retorno a la tienda de Playa Prieta. El doctor Weinhardt quedó profundamente afectado. Sentía que había perdido su libertad y daba vueltas de un costado a otro de la explanada con la mirada torva. Aquellos intrusos desbarataban sus planes. ¿Quiénes eran? ¿A qué habían llegado a la isla? Tendría que precautelar sus movimientos, encerrarse en la barraca. Había sido el único amo de esa tierra de nadie. Tomó una carabina.

—¿No te parece rara la llegada de esa gente? —dijo Grete.

—Voy a intentar cazar un cerdo. Esta noche hablaremos.

Subió por la colina y se internó en la fronda. Trató de serenarse. Deambuló cerca de una hora por el Cerro de Paja. Conocía bien los vericuetos del terreno. Divisó una manada de puercos cimarrones. Intentaron huir entre gruñidos. Apuntó a un maltón que parecía cebado y disparó. Se aproximó al cuerpo palpitante. Le descuartizó con el cuchillo que llevaba al cinto. Desechó las partes que no le interesaban y cargó con el resto. Estaba habituado a esas faenas. Regresó bastante tarde.

Grete le esperaba junto al fogón encendido. Sus ojos se iluminaron. Las teorías vegetarianas del doctor no le convencían.

—Chuletas de cerdo, Grete, y como una excepción, una botella de vino del Rhin.

Ella se movió presurosa y preparó la caldera.

Esperaba el mal humor del profesor y en cambio le ofrecía un banquete. No tardó en terminar su quehacer. Colocó platos y cubiertos y estuvo a punto de olvidarse de poner dos copas. El profesor se sentó a comer con singular apetito. Se había colocado la placa de acero y masticaba con las mandíbulas batientes. Bebió el vino. Se puso más locuaz.

—Grete, ¿para qué crees que hayan venido esas gentes?

Ella titubeó. Temía equivocarse.

—No alcanzo a comprender. Venir desde Alemania por un hijo enfermo, por haber leído tus escritos, es inusitado. Son personas de condición social muy mediocre. Ella parece una campesina. No tienen cultura.

—El tiene su cultura.

—En el aspecto político.

—No hemos hablado de otros tópicos. ¡Socialista! —dijo con inquina—. Por lo visto, enemigo del Partido Nacional Socialista, enemigo de un gran caudillo.

—Si es católico, ¿por qué no pertenece al Partido Católico?

—En efecto; es un contrasentido, al menos en la raza sajona. Sin embargo, los socialistas votaron por Hindemburg.

—Por odio a Hitler.

—Mira. Me temo que sean aventureros expulsados de Alemania. A lo mejor son comunistas.

—Es lo más probable.

—Informaré de su llegada. No tardará en venir la respuesta.

El viento silbaba estremeciendo los limoneros; hacía rozar las grandes hojas de los platanales. Aullaban los perros salvajes. Tomó un libro y se puso a leer ante la luz mortecina de la lámpara de kerosene. La presencia de aquella mujer no le agradaba. Debía sentir lo contrario para no estar tan sola. Ella parecía inteligente, vivaz; pero no le gustaba.

El regresó de anochecida.

—¿Qué informaste?

—Nombres. Características personales. El hijo enfermo. La afiliación al socialismo. Tendré una respuesta después de una semana. A propósito, ¿no crees que debo cambiar el lugar de los transmisores?

—No creo que haga falta por el momento.

Ella se recostó en el lecho rústico. Penetraba la luna con fulgores de metal envejecido. El doctor se puso a escribir.

«Al principio de nuestra estancia en la isla tuvimos también otra sorpresa. De acuerdo con los libros que habíamos leído, no había en el archipiélago ningún animal mayor. ¡Cuánta no sería nuestra sorpresa al divisar un día un toro salvaje! Y otro día vimos al toro acompañado de algunas vacas que huyeron con él como relámpagos en cuanto se dieron cuenta de nuestra presencia. Consecuentemente supimos que había en el lugar otras bestias, descendientes de animales domésticos llevados allí seguramente por antiguos colonos que desembarcaron en aquel lugar con el propósito de establecerse. Esos animales habían vuelto a su estado salvaje y poco a poco descubrimos que teníamos como vecinos colonias de cabras, de asnos, de perros y cerdos salvajes.

«Nuestro valle había sido, sin duda, centro preferido de reunión de todos aquellos animales; por las noches descendían hasta el lugar que habitábamos y recorrían el sitio que yo con tantas penalidades había sembrado ya. Fue preciso poner una cerca, que resultó obra de algunas semanas de trabajo. Pero rompían aquí y allá. Tengo que dedicar parte de mi tiempo diario a reparaciones.

«Las horas del día jamás resultan tediosas. Siempre hay algo qué hacer para vivir ese día y prepararse a existir en los sucesivos. Las noches, sin embargo, son monótonas: desde la primera noche habíamos escuchado el clamor de los animales salvajes; sabemos que una y otra han de repetirse.

«Los asnos rebuznan a solo y en coro justamente frente a nuestra puerta, y sus rebuznos son una mezcla de melancolía y de reto que parecen el grito de protesta contra la injusticia que se hace a su raza en los países donde vive domesticado.

«En las primeras semanas yo no podía menos que levantarme para gritar y atemorizar a los animales haciéndoles huir; pero me convencí de que nunca tardaban gran cosa en regresar para reanudar su concierto. Las vacas mugen, los cerdos gruñen y rascan la tierra y los perros ladran tristemente a la luna o aúllan enojosamente, en tanto que los gatos arman tremendas luchas, según su inmemorial costumbre.

«A este coro diabólico hubimos de acostumbrarnos antes de poder dormir con tranquilidad.

«Todo el que haya soñado con un experimento como el nuestro —y son muchos los que han albergado la idea que nosotros nos atrevimos a poner en ejecución— se pinta en el cerebro una vida fantásticamente idílica en estos paraísos del Pacífico, sin contar para nada con los obstáculos que encontrará.

«Nuestro paraíso no consiste en la realización de esas fantasías, sino de otras cosas: un purísimo estado mental, una sensación de paz absoluta de espíritu, el conocimiento cada vez más completo de nuestro propio ser. A estos fines contribuye poderosamente el trabajo inevitable. A muchos les parecerá que habiendo venido nosotros a este lugar en busca de un edén no hemos hallado otra cosa que un infierno. No es así.

Es verdad que trabajamos y nos afanamos para salvar los obstáculos que cada día se oponen a nuestra existencia, pero nuestro trabajo no resulta la carga penosa y melancólica de los hombres y las mujeres que trabajan dentro de la sociedad civilizada. Nosotros estamos convencidos de que nuestra suerte es la preferible: que ambos somos dueños absolutos de nuestro destino, cosa que los habitantes de los países civilizados de Europa y de América no pueden decir de sí mismos».

Gunter Lindemann recorrió la isla. Seleccionó algunas fanegadas de tierra en la parte alta del Valle de las Vertientes, donde el terreno formaba un alud. Desde el mirador se contemplaba la superficie suavemente ondulada. Del borde de la depresión brotaba un chorro incipiente de agua dulce. Quedaba a dos horas. de camino de la chacra del doctor. Lindemann y su hijo desmontaron los chaparros, cortaron los troncos, limpiaron la maleza.

En vegetación espontánea, restos de antiguas colonizaciones, crecían los naranjales, los árboles de papaya y otros frutales. Habíanse alojado provisionalmente en el Cerro de las Cuevas. Una caverna de lava de tres metros de extensión. Posiblemente la minaron los piratas y bucaneros. Quedaban los restos de una mesa desvencijada y dos taburetes, un fogón, una chimenea; un cuero de res servía de tapadera. Había otras cuevas en derredor, nichos que semejaban tumbas, agujeros de rocas despeñadas por la erosión. Todos laboraban sin descanso. Partían la madera, llevaban el material, sembraban las patatas, esparcían las semillas. El alimento no constituía problema. Abundaba la carne, sólo era necesario utilizar la escopeta. La vivienda, de cuatro metros por siete, iba estructurándose. Cubrieron con paja las paredes de las habitaciones; el techo, con tallos secos de caña de azúcar; el musgo cubría las hendiduras para que no penetrase el frío. Una o dos veces por semana bajaban a la playa para obtener pescado. Allí sobraban el bacalao y los camarones. En el bote plegable cruzaban las aguas azules y verdes. El sol escaseaba. Lloviznaba. A veces se desataban aguaceros torrenciales. El agua se filtraba por las grietas. Empezaron a brotar los sembrados, a reverdecer las legumbres y también los animales a invadir los cultivos. Había que cultivar de nuevo y levantar vallas espinosas, matar los toros cimarrones. De vez en cuando visitaban al doctor. Prolongaban la permanencia cuando se encontraba de buen humor. No era mala persona el doctor. Les regalaba utensilios y otros menesteres. Grete se mostraba siempre hostil. Nada extraño descubrieron en la vida de los dos. Les llamó solamente la atención que se autodenominasen vegetarianos y que comiesen carne. En más de una ocasión les encontraron frente a las chuletas de cerdo, que sin duda constituían su plato favorito. Comían también gallinas. Todas las mañanas el doctor se bañaba en el mar, luego emprendía largas caminatas. Su observatorio favorito era el Cerro de las Pajas. Desde ahí escudriñaba el horizonte, el mar abierto, donde de vez en cuando aparecía un velero. Lindemann nunca le vio efectuar operaciones sospechosas. En sus tres años de permanencia probablemente había cumplido su cometido.

¿Desde dónde trasmitía sus mensajes, si todavía lo hacía? Aquello no le interesaba. No tenía instrucciones de vigilar al doctor. En realidad, no había recibido instrucciones de ninguna especie. Sabía que era el agente H5 y nada más. El coronel le había dicho en la última entrevista que esperara un enlace; pero habían transcurrido cerca de tres meses y el enlace no llegaba. Por otra parte, no le habían provisto de ningún instrumento importante. Todo llegaría en el momento oportuno. El Estado Mayor alemán sabía lo que hacía. Había previsto que tendría que laborar duramente los primeros meses: levantar la vivienda, familiarizarse con el terreno, proveerse de alimento. Lindemann y Matilde casi olvidaron la misión que les había llevado a Galápagos. Habíanse sumergido, sin sentirlo, en el embrujo de esa tierra distante y misteriosa.

IV
La Floreana

EL MES de septiembre de 1932 la baronesa y su comitiva llegaron a Guayaquil y se instalaron en el hotel Hillmann. La ciudad era calurosa, tropical, recostada en el ancho río. Las casas de madera dejaban ver sus balcones descubiertos. Las avenidas de palmeras conducían a los muelles. El cacao se secaba al sol. Había constituido la riqueza de la región y del país. La pepa de oro de los agricultores y exportadores, el derroche de dinero de los emigrantes. Mas vino la peste, la escoba de brujas y los cacaotales se secaron, los frutos mermaron y la producción generosa que transportaban los cargueros fue disminuyendo poco a poco hasta reducirse a una nimiedad. Los montubios decían que los ingleses habían llevado la peste, esparcido el veneno letal, embrujado las plantaciones. Ya no tenían trabajo, permanecían con el cuerpo medio desnudo tendidos junto a los embarcaderos. Las familias de los emigrantes comenzaban a regresar al país. Venían de París. Allí habían residido muchos años. Los hijos no hablaban español o lo hacían con marcado acento francés. Otros se quedaron allá. Vivirían de los remanentes de una prosperidad que se esfumaba de pronto. Había que comenzar de nuevo, habituarse al clima, renovar las costumbres. De los grandes hoteles de Niza, de los casinos de la Costa Azul, quedaba un trecho insalvable a la monotonía de las hamacas de las casas solariegas. Más de uno se destapó la tapa de los sesos o murieron de paludismo al instalarse en las plantaciones. El clima les hacía tuberculosos. Les minaba el organismo desgastado por las veladas turbulentas de París.

La baronesa se dedicó a recorrer el comercio. Abundaban las mercaderías europeas y norteamericanas. Todo se traía del exterior. Aún quedaban los rezagos de los artículos suntuarios más codiciados. Compró todo género de mercaderías y licores. El vino y el champaña lo había traído de Francia. Contrató una considerable cantidad de madera en un aserradero. Se proveyó de azúcar, arroz, sal y otros productos de primera necesidad. Los numerosos bultos que el barco transportaría permanecieron en consigna en una agencia de viajes.

Por las noches, las calles de la ciudad se animaban con el bullicio de los transeúntes. Hombres morenos vestidos de blanco. Mulatas esbeltas de talles cimbreantes, piernas bien torneadas, pechos turgentes. Portaban trajes vistosos, casi transparentes, que ceñían la carne. En la avenida Nueve de Octubre, un restaurante y bar ubicado bajo los pórticos, llamado "Fortich", congregaba a la gente de la sociedad citadina. Allí se consumían refrescos y aperitivos y se hacían bulliciosos comentarios de los sucesos políticos. Estallaban las revoluciones, los jefes se tomaban otros cuarteles. Se desplomaban los presidentes. Venían las dictaduras o los interinazgos.

La baronesa había traído de Francia algunas recomendaciones para personas de relieve. El *attaché* señor Aguirre le entregó varias cartas. La invitaron a sus casas complacidos de tener la oportunidad de volver a platicar en francés. La acompañaron a ella y sus amigos en sus paseos por el malecón. Les llevaron por los alrededores de la ciudad y les prestaron ayuda en sus preparativos de viaje. No dejaba de intrigarles esa titulada exótica que había decidido trasladarse a las islas Galápagos para montar una empresa de turismo. Todos hablaban del proyecto y de la magnífica idea de hacer conocer las Islas Encantadas.

Oscar Galindo, que había permanecido tantos años ausente, volvió a trajinar con fruición por las veredas tropicales. Contempló desde la orilla el anchuroso río Guayas, se perdió en los laberintos de los bajos fondos donde otrora transcurrieran su niñez y adolescencia. Su primera visita fue a la sede del partido. Los comunistas principiaban a promover trastornos. Algaradas en las calles, huelgas, motines. Los intelectuales trataban de viajar a Moscú. La juventud desheredada se volvía revolucionaria. En el local del partido le recibió un hombre pequeño, muy moreno, con bigotes espesos recortados al estilo estaliniano. Su nombre era Divo. Divo a secas. Nadie sabía su nombre de pila. Galindo se identificó con la cédula expedida en Francia. Además, traía otras recomendaciones. Divo le abrazó y se mostró zalamero.

—Camarada, estoy para servirle en lo que usted necesite. Nuestro partido es pequeño por ahora, pero manejamos masas populares. Estamos en la tarea de establecer células en los ferrocarriles, las fábricas, las empresas privadas. ¿Cómo así ha regresado? ¿Qué asuntos le traen por aquí?

—Un asunto del partido. La baronesa Von Rath.

—¿Quién es esa señora? ¿Dónde está?

—Está en Guayaquil y se marcha a vivir en las Galápagos. Aparentemente ha venido con un supuesto proyecto de establecer allá un gran hotel para turistas millonarios. No hay nada de eso, o al menos no constituye el fondo de la cuestión. Viene contratada por la Embajada del Japón para realizar un espionaje aún no determinado.

—Interesante. ¿Va usted con ella?

—Voy por un mes o cosa así; pero no puedo permanecer más tiempo. Otro agente del partido viene con ella. Necesitamos un enlace. Nada de comunicaciones de radiotelegrafía que puedan ser interceptadas.

Divo se quedó pensando. El *affaire* tenía aspectos emocionantes.

—Lo tengo —exclamó—. Varanger, un marinero noruego que vino a establecer negocios de pesca. Fracasaron. El se quedó en Santa Cruz. Es afiliado al partido. Me ha proporcionado informes respecto de las islas que he remitido a Moscú.

—Estupendo. ¿Es persona de plena confianza?

—Sí. Usted sabe, camarada, los nuestros son siempre de confiar.

—¿Cuándo le mandará por allá?

—En cualquier momento. Tengo que comunicarme con él. Es alto, muy robusto, de ojos verdes, pelo muy claro.

—¿No hay peligro de que pueda equivocarme de persona?

—No. No hay otro como él. En todo caso, en la conversación inicial empleará cualquier frase con la palabra "Rotterdam". Recuerde bien: "Rotterdam".

—De acuerdo.

—¿Necesita algo más?

—Mire, aun cuando dispongo de algunos recursos que he traído de Francia, necesitaré un trabajo en Guayaquil.

Divo volvió a reflexionar.

—Lo emplearé en las aduanas. Allí se obtiene dinero y sirve para pasar propaganda clandestina. Le conseguiré el empleo. Soy diputado.

—Cuento con usted, camarada.

Los dos dejaron el despacho.

—Quiero que venga a visitar mi casa.

—Con todo gusto.

Tomaron el automóvil de Divo y se alejaron hacia las afueras del puerto. Divo vivía solo y tenía una amiga. La villa era bastante lujosa, con persianas de madera, muebles bien tapizados y hasta tenía un piano.

«¡Qué bien viven los comunistas!», pensó Galindo. Pero lo que él no sabía es que Divo cobraba una cuota mensual a cada uno de los afiliados y disponía del dinero a su antojo; por otra parte, venían las remesas que de vez en cuando le enviaban de Moscú. Pasaron todo el día juntos. Cenaron en un restaurante del Bulevar Nueve de Octubre. Bebieron cerveza. Después, Divo le llevó a un *cabaret* apartado del puerto.

—Es un centro comunista —dijo—. Aquí obtenemos valiosas informaciones políticas.

Era un lugar destartalado, provisto de mesas redondas y sillas de madera sin pintar. Al fondo, un gran tablero servía de bar colmado de botellas de aguardiente y cerveza barata. Al medio, una pista de baile. Muchas mesas estaban ocupadas por montubios en camisa, cargadores de los muelles, hombres macizos de la ría. Algunas mujeres circulaban con vestidos llamativos. Cuando vieron a Divo, dos se acercaron de inmediato. Eran muy jóvenes, de tez canela, los cabellos muy negros y rizados, la mirada cansada de las constantes vigilias; pero tenían un atractivo tropical en sus cuerpos felinos.

—Le presento a Pepita y Angelita.

Las mujeres tomaron asiento sin pronunciar palabra. Se limitaron a extender la mano con indiferencia.

—¿Hay novedades?

—El secretario de la Administración y el coronel Peñarola estuvieron aquí la semana pasada. Angelita se fue con el secretario y yo con el coronel. Estaban muy borrachos.

—¿Qué dijeron?

—Que en la última revolución del norte estaban comprometidos muchos de extrema izquierda, lo mismo en Guayaquil. Que iban a proceder a hacer detenciones. Primero quieren asegurarse e identificarlos. Tienen soplones.

82

—¿Avisaste a la zamba María?

La zamba María era la dueña del *cabaret* financiado por el partido.

—Bien. Tomaremos medidas para que se escondan a tiempo.

Pidieron una docena de botellas de cerveza. Luego varios turnos de aguardiente criollo. Los cuatro se emborracharon. Las mujeres se pusieron eufóricas, mimosas. Preguntaban a Galindo sobre las costumbres en Francia. ¡Qué lindo viajar! Conocer otros puertos. Ellas querían largarse. Irse a Colón, a Panamá. Allí se ganaba en dólares. Por el Canal pasaban muchos barcos. Los marineros arrojaban el dinero a manos llenas. Las de la vida no conocían el descanso. Las compañeras que regresaban venían bien aperadas, compraban casa, un solar, traían muchos vestidos. La noche avanzaba. Decidieron trasladarse a otro sitio. El local iba quedando vacío, la música sonaba monótona. Tomaron el automóvil y se perdieron por las callejas abandonadas, cubiertas de basura, mal iluminadas. Llegaron al Estero Salado, donde sobresalía una especie de barraca flotante. Cuatro palos de balsa la sostenían en el agua. En unos compartimentos de tabique sin puerta, cubiertos por una cortina mugrienta, se arrinconaban camas de madera. Allí pasaron el resto de la velada.

La baronesa Von Rath tropezó con un contratiempo que parecía no tener solución. El barco "San Cristóbal", que hacía viajes a las islas cada cierto tiempo, acababa de regresar. Veíase precisada a esperar uno o dos meses si no encontraba otra fórmula.

Afortunadamente, la disyuntiva tuvo un desenlace inesperado. En uno de los salones de Guayaquil conoció a un señor Bertini, persona de viso social, muy rico y propietario de un yate. La baronesa le cayó en gracia, así como también su proyecto. El conocía las Galápagos. Había realizado algunos viajes de recreo y se ofreció a acompañarla. Los preparativos se hicieron a corto plazo y después de dos semanas todo estaba listo para la expedición.

A fines de septiembre, un reportero del diario *El Telégrafo* se presentó en el vestíbulo del hotel Hillmann. La prensa estaba enterada del viaje de la baronesa y deseaba una entrevista. Ella accedió de buen grado.

«—¿El objeto de su viaje, señora baronesa?

«—Vengo a esta gentil tierra ecuatoriana en viaje de estudio que haré en breve al archipiélago de Colón. Trataré de estudiar allá las posibilidades del establecimiento, en una de las islas en donde no pueda tener inconvenientes por posesiones anteriores, de un gran hotel o estación residencial para atraer turistas e inmigrantes sanos de las mejores razas en tipos de trabajo y acción. El hotel estará dotado de todo el confort necesario a fin de hacer mucho más agradable la permanencia temporal o definitiva de millonarios, turistas, artistas y personas anhelantes al medio de impresiones nuevas, no conocidas ni sospechadas por ellos hasta ahora.

«—De suerte que usted ha estudiado bastante el asunto, señora baronesa...

«—Estas islas están llamadas, por su situación topográfica, a ser como Miami o una Dauville en la costa occidental de América del Sur. Nada se puede comparar con ellas. Mediante el desarrollo del plan que ambiciono llegarán ellas a ser un centro de excursión moderno. La falta de comodidades allí es el inconveniente para que no se hayan inclinado los habitantes de Estados Unidos y Europa a pasar largas temporadas en el archipiélago. Por ahora, mi intención es apenas un estudio. Debo, naturalmente, echar primero los cimientos, para continuar el edificio si la ocasión se presenta propicia. Es necesario que Ecuador esté debidamente preparado, en su misma preponderancia de vecindad al Canal de Panamá, para que en su territorio se arraiguen nuevos sistemas, modernos métodos de vida y riqueza.

«La baronesa no habla español; pero posee siete idiomas. Conversa más con acento francés que inglés o alemán. La entrevista se prolonga. Manifiesta que le acompañan los señores Jack Colvin y Paul Wernolf, quienes vinieron con ella en calidad de ingenieros y cooperadores. Igualmente, el señor Oscar Galindo también viene de París y es ingeniero en construcciones».

El cronista se entusiasma con la fascinación de su entrevistada.

«La señora baronesa es gentil y exquisita, pues en ella se han fundido todas las culturas de Occidente, dejándole hondas huellas de una suavidad magnífica.

«Tiene los ojos azules, los cabellos rubios, tanto que "parecen blanquear en ocasiones". Habla de sus antepasados. Su abuelo fue el último de los caballeros que poseyó la Orden de María Teresa. Su abuela fue primadonna de la "Scala" de Milán, que cantó con Caruso. Lleva el cabello corto. Es sensitiva, dulce en la expresión, pero resuelta en sus propósitos. En tanto conversa, hojea el *World's End*, de William Beebe. Se refiere al libro de Espinosa y José Bognoli. Expresa que ha estudiado todo lo relativo a las islas, su naturaleza y conformación. Se propone dictar una conferencia en francés, puesto que en la ciudad hay suficiente gente culta que conoce este idioma.

«Probablemente se embarcará después de pocos días en el motovelero "Eolo", del señor Bertini. De lo contrario, hubiera sufrido serios perjuicios en sus intereses. La baronesa presenta al cronista a sus amigos y compañeros de viaje».

Al día siguiente, una página entera del periódico se refiere a la expedición y publica sus declaraciones. Una fotografía central de la baronesa y su comitiva remata el reportaje.

En octubre de 1932 el yate "Eolo" fondeaba en la bahía de Correos, ubicada al norte de la Floreana. La llamaban así porque allí yacía desde hace cerca de doscientos años un barril que servía de correo. Lo establecieron los balleneros cuando se internaban por meses y por años en el mar para que otros barcos que pasaran llevasen o trajesen la correspondencia. Original correo, renovado por las generaciones sucesivas, que se mantenía hasta entonces. Los arrecifes constituían un riesgo porque se encontraban a pocos metros de la superficie, sobresaliendo uno de extraña contextura denominado "Corona del Diablo". Las ondas del mar color de añil chocaban contra los riscos dentados. La isla presentaba en parte un paisaje plateado, esbozado por los palosantos esquilmados por la sequía. Al centro se formaba una franja verdosa, tupida de matorrales, y hacia arriba se alzaba el cono del islote entre nubes rosadas y bermellones que navegaban en el espacio. Una lancha a motor desembarcó a la baronesa y sus acompañantes, deslizándose con precaución hacia la ribera que entreabrían las rocas atezadas. Otros amigos venían en el velero, entre ellos el señor Bertini. La lancha hizo cuatro viajes. Los baúles, las cajas de madera, los bultos y las maletas iban amontonándose en la arena. La tripulación maniobraba sudorosa. El sol quemaba. Los cuerpos ardían, los grandes sombreros de paja de los morenos caían en la orilla. Descargaban metidos en el agua hasta media pierna. El batelero de barba enmarañada frenaba el bote con el remo para que la corriente no lo arrastrase. La baronesa contemplaba atónita la belleza melancólica de los contornos. Vestía pantalones cortos, una blusa de seda y un pañuelo en la cabeza.

—En verdad parece el Paraíso —exclamó radiante de gozo—. Pero ¿dónde vamos a cobijarnos en los primeros tiempos? ¿Acaso en las cavernas?

—Las cavernas están en la colina, a mucha distancia —dijo Galindo, conocedor del paraje—; hay aquí cerca una barraca de madera construida por los noruegos que abandonaron la isla. No creo que exista otro lugar más apropiado para una residencia temporal. A no ser que el doctor Weinhardt...

—Al doctor Weinhardt no le gusta perder su independencia —dijo Bertini—. No piensen en albergarse allí.

Decidieron permanecer en la barraca, hasta construir la morada, y hacia allá fue transportado el equipaje. Los años y el desamparo habían deteriorado su estructura. Los tablones estaban resquebrajados, los pisos, tambaleantes. Los amigos se despidieron para retornar al yate antes que el aguaje dificultara el derrotero.

En la parte alta, los cinco habitantes de la Floreana observaban intrigados el desembarco. No era cosa común que llegaran motoveleros. ¿Quiénes serían los turistas? No eran turistas, por lo visto, puesto que habían transportado un enorme equipaje.

La baronesa no era mujer que perdiese el tiempo.

—Voy con Wernolf a visitar al doctor. Los demás se quedarán aquí para abrir algunos bultos y acondicionar la cabaña. Está muy sucia, habrá también que armar una tienda.

—La casa del doctor no queda cerca. Será mejor ir mañana —dijo Galindo.

—No importa. Voy ahora mismo. Vamos, Wernolf.

Los dos se perdieron en la colina y comenzaron el ascenso por un sendero escarpado, pedregoso y difícil, donde constantemente tropezaban los blancos zapatos que ella calzaba. El calor y la fatiga detuvieron su marcha; pero siguieron avanzando hasta encontrar el esqueleto de toro, el palo con la campana y un letrero que decía: "Toque fuerte y espere dos minutos para entrar".

Así hicieron. El doctor les esperaba. Estaba de pie en la baranda con expresión adusta.

—¿El doctor Weinhardt?

—Soy yo.

Ella se acercó presurosa.

—Profesor. No sabe usted cuánto deseaba conocerle. He leído sus artículos en Berlín y París, así como también las crónicas de su viaje, sus escritos inspiraron mi proyecto de trasladarme a estas islas. Soy la baronesa Von Rath. Aspiro a llevar una vida primitiva y abrigo otras intenciones. Mi acompañante es Paul Wernolf, ciudadano alemán.

El doctor Weinhardt apenas miró a Wernolf.

—¿Piensan ustedes instalarse en la isla?

—Sí. De ser posible, para siempre.

En ese momento apareció Grete sonriente, el cabello corto revuelto por la brisa, el cuerpo medio desnudo.

La baronesa se acercó a abrazarla y tomó sus dos manos.

—¡Ah! Usted es la compañera del doctor. ¡Qué buen aspecto tiene! ¡Qué guapa es! ¡Qué vida saludable la que llevan ustedes!

Tomaron asiento y Grete sirvió algunos refrescos. Hablaban los tres, menos Wernolf, que no terciaba en la plática.

—A propósito, profesor. He traído su correspondencia. La oficina de correos de Guayaquil, al saber que veníamos, se la dio al capitán del yate. Aquí la tiene.

Entregó alrededor de veinte cartas, algunas revistas y periódicos. El doctor tomó el paquete y entró en el *bungalow* para depositarlo en la mesa que servía de escritorio.

—Ustedes podrán ayudarme para escoger el sitio dónde levantar una casa. Traemos suficiente madera desde Guayaquil. El resto lo obtendremos de la vegetación natural. Hemos traído también planchas de cinc para el tejado.

—Yo vivo en la parte media de la montaña. La familia Lindemann ha ocupado la parte alta. Ustedes deberán ubicarse en el valle.

—Magnífico. Una morada en el valle tal vez con vista al mar. Este lugar me parece un paraíso. Estudiaremos las posibilidades de construir un gran hotel, varias cabañas para alojar a millonarios que viajan en sus yates. Tengo muchos amigos que vendrán: los Astor, Lord Willmore, la condesa Renwartz y otros. Y ¿por qué no en la playa?

—En la playa no hay agua dulce —dijo con sequedad el doctor.

—Bien, entonces será en el valle. Por la tarde iré a dar una vuelta por el sector que usted me indica para buscar el sitio más apropiado. Supongo que nos invitarán a almorzar. Tengo mucho apetito. La caminata ha sido bastante larga.

—Nosotros somos vegetarianos, Grete, ¿qué tenemos?

90

—Sandía, ensalada de legumbres y papas cocidas. Es todo lo que podemos ofrecerles.

A la baronesa el menú no le pareció muy apetitoso. Empero, no había otra alternativa. Trató de mostrarse complacida y los dos realizaron su primera comida en la isla. Después de yantar, ella manifestó su deseo de continuar sus exploraciones. Volverían a verles por la tarde. Se perdieron por los matorrales entre riscos y frutales, andaba del brazo de Wernolf, muy juntos los dos. El la ayudaba a vencer los obstáculos, la sostenía para que no resbalase, le hacía saltar los escollos. El viaje, el aire del mar, la comida abundante aunque mediocre, habían restablecido su organismo. Estaba más gordo y tosía menos; no sufría de insomnio. La fiebre había aminorado. Los largos descansos en cubierta, los baños de sol, aplacaron sus nervios quebrantados. Sin embargo, poco había disfrutado del amor de la baronesa. Le dijo desde un principio que era menester mantener las apariencias. Jack Colvin sería su marido. No se separó de él durante la travesía, con él andaba en los salones, con él paseaba en el puente, con él dormía. Lo quisieron mandar a segunda clase; pero protestó indignado. Las relaciones se habían resquebrajado. Colvin le trataba con desprecio y apenas le dirigía la palabra. Le consideraban simplemente un camarero. Por fin estaba nuevamente solo con ella, sin testigos, en un bosque de chaparros enanos. Las manos le temblaban, vibraba al tomarla del talle. Si sólo pudiese tenerla siempre así, al menos por una temporada, como sucedió en París después que la conociera...

Habían caminado cerca de dos horas. La baronesa apenas podía tenerse en pie, los zapatos le molestaban, la transpiración brotaba de las axilas, se detenía a cada momento. Por fin, sobre el alud del valle divisaron la cabaña de Lindemann. Había que subir un camino construido en graderío. Los perros ladraron y aparecieron tres personas. Ella se dio cuenta en seguida de que tenían menos categoría que el doctor, que su extracción social era modesta.

—¿Podrían decirnos dónde queda la fuente?

—Está aquí cerca.

El agua cristalina chorreaba en hilos breves que caían en una especie de vasija de madera. La hierba crecía alta y apiñada al ruedo. El musgo brotaba espontáneo. Ella se quitó los zapatos. Los guijarros le habían lastimado los dedos. Metió los pies desnudos en el agua. Wernolf los lavó con religiosa unción; luego le colocó el calzado. Los Lindemann observaban estupefactos. Era el agua que utilizaban para sus menesteres diarios, para beber y preparar la comida. Nada dijeron.

—Soy la baronesa Von Rath. Estoy terriblemente fatigada.

—Tenemos una carpa. Puede usted descansar allí.

—Sí. Desearía dormir un poco. Oye, Paul. Baja a la playa y trae una maleta con algunas conservas y una botella de vino. No sé si pueda regresar esta noche. Pediré albergue al profesor.

Wernolf no respondió. Quedó como atontado. No conocía el camino.

—No alcanzará usted a regresar —dijo Matilde—. La bahía de Correos, adonde ustedes han llegado, queda distante.

Ella había escuchado las últimas palabras. No le quedaban arrestos para discutir. Penetró en la tienda y durmió hasta el atardecer.

De anochecida llegaron al plantío del doctor Weinhardt. No tocaron la campana ni esperaron dos minutos, sino que entraron intempestivamente.

—Doctor. Vengo a pedirle posada. Nos ha cogido la noche. No me atrevo a bajar en estas circunstancias. No conocemos el camino. Podríamos perdernos en la oscuridad y a lo mejor nos asaltan los perros salvajes.

—Tendrán que dormir en el pasillo. Puedo proporcionarles dos colchones de goma y dos cobijas. No dispongo de más comodidad.

En un principio, el doctor Weinhardt estuvo a punto de negarles la hospitalidad. La mujer le parecía intemperante, audaz; no le dejaría tranquilo.

Era verdad que emprender el regreso sin conocer la ruta podía conducirles a un extravío en la montaña.

—No importa, profesor. Dormiremos donde sea. Si no es molestarle, les agradecería que nos proporcionasen algo de comer. No he probado un bocado desde esta mañana.

Grete se apresuró a abrir una lata de pescado, trajo galletas y agua con limón. La baronesa empezó a ponderar la belleza del paisaje que había observado. Habían encontrado el sitio preciso para levantar la casa. Al día siguiente llevarían los bultos. Se dedicarían

93

a la cacería y a la pesca. El doctor escuchaba sin interés lo que ella decía. Grete parecía divertida.

—Nosotros nos retiramos a dormir temprano —dijo Weinhardt—. Vamos, Grete.

Y los dos penetraron en el aposento.

La baronesa permaneció silenciosa contemplando la noche, sentada en la silla de mimbre. Los pasadizos tenían techumbre; pero estaban al descubierto. El viento flagelaba los cocotales, se escurría por los troncos rugosos, lanzaba las olas contra el roquerío. Se acostaron en los colchones de goma. Wernolf apenas respiraba, contenía el aliento, se daba las vueltas, la llamaba por su nombre. Luego se deslizó por el suelo como un gusano. Comenzó a tocarla. Ella, como de costumbre cuando no estaba con el otro, no le repudió. Decía frases ininteligibles. Permanecieron abrazados largo tiempo, calló y se desunieron. El comenzó a toser. La brisa que zumbaba contra los enrejados de hierba entumecía sus brazos y sus extremidades. Ella sintió frío en el vientre.

—No es posible dormir aquí —murmuró—; es necesario encender fuego.

Se levantó y avanzó hasta donde reposaban los dos.

—¿No tienen un poco de leña, doctor? Hace mucho frío.

—Búsquela fuera de la cabaña. Al costado derecho. Y, por favor, déjenos dormir.

Wernolf se encargó de encontrarla. Prendió una fogata y a su abrigo quedaron adormecidos. Muy temprano se despertaron con los miembros endurecidos, los ojos amoratados. Los otros dormían. Deci-

dieron salir sin despedirse y penetraron entre los moyuyos buscando la trocha construida por los rebaños.

El doctor Weinhardt y Grete se levantaron, como
usualmente lo hacían, a las siete. El salió con la azada
a cultivar los sembríos. Además construía una especie de acueducto para tratar de encauzar el agua de la
vertiente. Después realizó una larga caminata hasta la
playa. Se sumergió en el mar. El agua era siempre
fría. La corriente de Humboldt. Nadó un buen trecho
y se tendió en la arena. El sol se escarmenaba entre
las nubes y le bañaba en pleno. Todos los días hacía
lo mismo. A veces le acompañaba Grete, otras iba
más tarde.

Cuando regresó oyó su voz que le decía:

—No olvides revisar la correspondencia.

El disponía de sus horas para cada menester. Un
horario rígidamente cumplido. Cuando puso las cartas sobre el tablero y se disponía a romper los sobres,
algo le llamó la atención. Algunos estaban despega-
dos y otros a medio cerrar. Una cólera irreprimible le
invadió. Su correspondencia había sido violada. «Esa
mujer», pensó. No podía ser otra persona. Posiblemente venía a quebrantar su tranquilidad de tres años,
a cerciorarse de sus actividades privadas. No obstante
en ninguna carta había nada comprometedor; pero
pudo haber llegado alguna otra. Trató de tranquilizar-
se. Un artículo de un periódico de Alemania llamó su
atención. Reproducía una parte de su diario de viajes.
Quedó cavilando sobre aquellas impresiones que re-
memoraban los primeros días de su llegada, el desembarco en Guayaquil.

«31 de julio de 1929: hoy, al bajar a tierra, se cumplen justamente cuatro semanas al día y hora que nos embarcamos rumbo al Ecuador».

Y seguía:

«De pronto apareció la ciudad en el ya conocido brillo plateado de los techos y paredes de cinc. El aspecto produjo inesperadamente la sensación de algo pomposo. De en medio del mar de casas se levantaban las múltiples torres de iglesias (ocho al menos) y cúpulas del edificio de la Gobernación causando un fuerte efecto ... Muchas molestias nos ocasionó el conseguir dónde guardar nuestro equipaje; por una parte y por otra, nuestros compañeros de viaje nos aseguraban que las dificultades que ocasionaba la aduana eran grandes en cuestión de tejidos nuevos, de los cuales traíamos más o menos cien metros. Fuimos tratados con una sorprendente amabilidad y sólo necesitamos abrir la mitad de cajones, que estaban bien clavados ... Todo cuanto habíamos traído lo hubiéramos podido comprar en Guayaquil, que todo tiene en abundantes existencias».

Anotaba un detalle que llamó su atención:

«Qué aspecto tan repugnante nos ocasiona el ver las caras blanqueadas y pintadas de las damas blancas o semiblancas, las figuras negras y medio ocultas por sus velillos de las beatas; la tendencia elegante del sexo masculino, etc. Todo este ambiente nos alejó de Europa.»

«3 de agosto de 1929: una visita donde el cónsul alemán nos informó que todo proyecto de colonización tanto en el interior del país como en las islas Galápagos resultaba infructuoso para los colonos austríacos, alemanes y noruegos como también para el gobierno, debido a la falta de caminos y, por consiguiente, al tráfico y a la venta de los productos. También la colonización noruega en Galápagos había abandonado los terrenos, excepto dos plantaciones de azúcar. Todos los meses sale un velero noruego para Galápagos; pero hace precisamente ocho días que éste salió. También se puede viajar en hidroavión (por cien dólares), pero sin equipaje. Hasta mientras, y conforme nuestros propósitos, nos iremos a Quito y después de tres o cuatro semanas a las Galápagos. Nos vamos a ese archipiélago bajo otras presunciones que los demás colonos, no para enriquecernos, pues en eso está el punto de las desilusiones».

Señalaba que:

«La civilización corrompe todo debido a la ambición al dinero y a las necesidades diarias».

Describía el doctor la múltiple red de tranvías existente en la ciudad y el hecho de que por azar ascendiera la colina para llegar hasta las baterías que constituían la defensa del puerto. No mencionaba si le interesara conocer las condiciones de los cañones y el emplazamiento de las armas.

Los recuerdos se acumularon en su cerebro al recordar el largo peregrinaje. Un buen trecho de tiempo había transcurrido en el voluntario ostracismo.

Volvió a pensar en la baronesa y en Lindemann. Sobre este último había recibido los informes pertinentes, aunque no definitivos. El mensaje fue escueto:

«Socialista y antinazi. Su mujer, con antecedentes judíos. No hay indicio de que pertenezca al Partido Comunista. Es probable que preste sus servicios en el Servicio de Inteligencia de Norteamérica. Redoble precauciones. Vigílelo».

Nada había notado de anormal en los tres meses de su permanencia. Sin embargo, sería conveniente hacerle algunas preguntas para determinar sus actividades.

V
Varanger

LA BARONESA escogió para levantar su vivienda
una suave ondulación de terreno situado al frente del
Valle de las Vertientes, a ochenta metros del bohío de
los Lindemann. Aquél quedaba en lo alto, separado
por el alud. La superficie configuraba un cuadrado
irregular de más o menos ciento veinte metros cuadrados, que lindaba con las faldas del Cerro de las
Cuevas y la senda que conducía a Playa Prieta. Algunos frondosos naranjales sombreaban el paraje. Posiblemente influyó en su determinación la cercanía de
la vertiente, la vecindad de los otros colonos, la pro-
ximidad a las cavernas centenarias que atraerían a los
turistas y lo pintoresco del paisaje.

Colvin, Galindo y Wernolf transportaban los
bultos. La temperatura tropical les sofocaba las entrañas y las piernas languidecían en los pedregales. El
acarreo duró varios días. Grete, en ausencia del doctor, les había prestado el asno domesticado. El jumento era esbelto, grisáceo, con una franja negra en el
lomo. Todos se establecerían en tiendas de campaña
hasta construir la barraca. La baronesa había conseguido que Lindemann —más experimentado en cons-

trucciones— les prestara una mano. Después del regateo convinieron entregarle un quintal de arroz. Un quintal de arroz no era paga despreciable en una isla donde no circulaban los billetes de banco.

Bloques de piedra, tablas, maderas rodaron por el suelo durante muchos días. El golpe de los martillos y los clavos resonaba en el espacio. Materiales dispersos aquí y más allá. Gemían los arbustos ante el filo del hacha cortante. La baronesa, con pantalones de equitación, botas y revólver al cinto, dirigía las operaciones, afanosa, sin duda, de terminar lo antes posible.

Una lancha-motor varó en Playa Prieta. Un hombre saltó a tierra sin mojarse. Tomó el camino de los plantíos con la seguridad de quien conoce el terreno. Marchaba a grandes zancadas, moviendo los hombros macizos y balanceando las piernas. Llegó a la chacra del profesor.

—Buenos días, doctor. Me han dicho que han llegado unos extranjeros. Vine a echar una ojeada, saber quiénes son y saludarles. Usted sabe que me gusta tener amigos.

—Están más arriba. Puede usted trasladarse, Varanger.

—Volveré por aquí.

—Cuando usted quiera.

Prosiguió su camino hasta alcanzar la planicie. Al divisar a la baronesa se quitó su gorra de marinero.

—Supe que habían llegado y vine a saludarles y ofrecerles algunas mercaderías. Me llamo Varanger. Soy noruego. Si puedo ayudarles en algo...

100

Ella sonrió. Un halo de simpatía emanaba de aquel sujeto de modales bruscos. Debía ser un navegante experto, por el modo de andar.

—Bienvenido, Varanger. Estamos aquí luchando por construir una casa. Necesitamos terminarla cuanto antes. No tenemos dónde instalarnos, porque las carpas resultan muy incómodas. A ver si nos ayuda.

—¿Por qué no? Puedo ayudarles hasta la tarde.

Conversaron un momento. El se quitó la camisa. Tenía el tórax ancho y los brazos musculosos. Tomó un hacha y se puso a derribar un árbol con vigor inusitado. Trabajó cerca de una hora en la armazón de las paredes. Conocía el oficio. Unía con destreza los tabiques, claveteaba los travesaños. Wernolf acarreaba el material con apariencia distraída, las sienes empapadas; los pantalones cortos descubrían sus piernas blancas descarnadas, andaba desgarbado, casi sucio. La baronesa se acercó al marinero y le ofreció un vaso de "güisqui". Se lo tomó de un trago. Le gustaba beber y hacía tiempo que no había probado tan excelente bebida. Ella lo notó y dejó la botella con disimulo. El marinero siguió bebiendo por intervalos espaciados. Cuando terminaron los trabajos era bastante tarde. No sería posible emprender el regreso. La baronesa le instó para que se quedase a pasar la noche. Se arreglarían como pudiesen. A él no le importaba. Estaba acostumbrado a dormir a la intemperie, a pernoctar en el bote, a pasarse las noches en vela cuando el motor no funcionaba o el viento no hinchaba el velamen.

Wernolf quedó solo, abriendo las latas de conserva para la comida. Varanger se le acercó con disimulo.

—¿Has estado en Rotterdam?

—Sí. He estado en Rotterdam.

—Bien, muchacho, seremos buenos amigos.

Le dio una palmada en la espalda.

—Pienso quedarme dos o tres días.

—Es asunto tuyo.

—Tengo orden de husmear el ambiente.

—No hay nada que puedas husmear por el momento.

—Ya hablaremos. Sírveme otro trago. Esta baronesa no está mal. Sabe mirar. Tiene el tipo de las mujeres de mi tierra.

—Mejor será que no te metas con ella.

—No lo he pensado. Es un comentario sin importancia.

Varanger no permaneció tres o cuatro días, sino ocho. Avanzaba la construcción con rapidez asombrosa. No era propiamente una cabaña cualquiera. Tenía ciertas características de una casa prefabricada de madera. Disponía de cuatro habitaciones, un recibo y una baranda descubierta. Más tarde se trazarían las avenidas, se sembrarían palmeras y cactus decorativos, se configuraría el jardín.

Durante los días de laboreo se estrecharon sin sentirlo sus relaciones con Paul Wernolf. Llegó a simpatizar con el sujeto derrengado que se movía como un resorte haciendo esfuerzos sobrehumanos para atornillar los maderos, ensamblar las tablas y todavía alcanzarse para preparar la comida. A veces se internaban por el monte. Al fin hablaron sin preámbulos.

—Divo me ordenó que viniera a la isla. Hacía falta que me conocieras y que supieses que colaboro contigo. Debes comenzar a registrar los bultos y baúles de la baronesa.

—Están embalados.

—Cuando los abran.

—Está bien.

—¿No tienes nada qué comunicar?

—Nada importante de momento. Quizá un asunto.

—¿Cuál?

—Que el doctor Weinhardt es nazi.

—¿Cómo lo sabes?

—Porque la baronesa abrió el correo y encontró una carta comprometedora que la tiene guardada.

—¿Qué decía?

—Que Hitler ha sido nombrado canciller, que el partido estaba en el poder y que le felicitaba por haberse afiliado desde un principio. Firmaba un nombre cualquiera.

—Lo de Hitler ya lo sabía, lo publicaron los periódicos; pero que el doctor sea un nazi consumado puede tener su importancia.

Al día siguiente Varanger se despidió de la baronesa. Ella le dijo que volviera cuando estuviese terminada la vivienda. Estaría encantada de alojarle por varios días. Le pidió que le trajese comestibles. El azúcar y el arroz escaseaban, así como la harina para elaborar el pan. Varanger había comido y bebido a su antojo, mas había perdido ocho días de pesca, de mercadeo, de reparto del bacalao, que constituían sus medios de subsistencia, y su mujer seguramente le esperaba intranquila en la isla San Cristóbal.

Cuando la casa de madera estuvo terminada se procedió a abrir los cajones: cristalería de Saint Louis y vajilla de Limoges con escudo y monograma de la baronesa, muebles plegables, catres, camas desarmables, mosquiteros, trastos de cocina. Los cuadros, las fotografías y los libros cubrieron los tabiques, decorándolos con gracia. Limpiaron las veredas de tierra, sembraron matas de plátano, cercaron el huerto y trazaron el jardín.

Al pie de los naranjales colocaron bancas rústicas para reposo de los viajeros. Bautizaron la finca con el nombre de "El Paraíso". Abrieron todos los bultos, menos dos que quedaron arrinconados.

Cuando Wernolf se disponía a levantar los clavos Colvin lo detuvo:

—Esas dos cajas me pertenecen. No las toques.

Wernolf se escurrió en el edificio. Aborrecía al amante de la baronesa. Hacía tiempo que le demostraba una franca hostilidad. No soportaba sus trajes azules de dril, sus camisas de seda, sus pantalones cortos.

En la Bahía de Correos la baronesa hizo colocar un letrero clavado en estacas en el cual se leía en dos idiomas:

«¡Quienquiera que seáis: amigos! A dos horas de aquí se halla la hacienda "El Paraíso"; un oasis donde el cansado viajero tiene la suerte de encontrar, en su camino por la vida, paz, refresco y solaz. La existencia humana, esa pequeña parte de la eternidad encadenada

104

a un reloj, es tan corta; y por eso, ¡seamos felices, seamos buenos!

«En "El Paraíso" tendrás un solo nombre: ¡Amigo! Queremos compartir contigo la sal del mar, las verduras del huerto, las frutas de los árboles, el agua fresca que baja del manantial y las cosas buenas que otros amigos nos trajeron cuando pasaron por aquí. Queremos estar unos cortos ratos de la vida en unión contigo para hacerte partícipe de la paz que Dios nos ha puesto en el corazón y en el espíritu cuando dejamos la metrópoli agitada para venir en pos de la tranquilidad centenaria que cubre con su manto a las Galápagos. Baronesa Von Rath ».

No sería tan colmado de paz el refugio en lo futuro, ni carente de episodios borrascosos, que luego vendrían. Colvin se encargó de escribir artículos sobre las incidencias de la expedición y el encanto primitivo de las islas, para enviar a los periódicos. Los dos empezaron a deambular por los rincones más apartados.

Recorrieron el Cerro de las Monturas, el Cerro de los Chivos, el Cerro de la Paja. Los parajes agrestes de lava petrificada se extendían entre las breñas al borde de los cráteres apagados cubiertos de maleza. Abajo, los pedernales negros trazaban esguinces y pedestales roqueños. Entre los farallones reposaban las loberías. Encontraron una laguna salobre donde pescaban los rosados flamingos. En el mar navegaban los pelícanos y se acercaban los cormoranes. El agua color pizarra, cambiante en sus matices, les rodeaba siempre, entre nubes que formaban arabescos de tintes ocre, amarillo y rosado de acuerdo con la luz y el temporal. La baronesa perdió peso, se volvió más ágil, endureció su carne en las largas caminatas.

La Floreana tenía veintiséis millas de circunferencia. Las colinas se sucedían con simetría irregular. Los cactus sin espinas, exclusivos de la isla, servían de alimento al ganado. Otros configuraban hojas raqueteadas. Algunos se alzaban enhiestos igual que antenas espinosas. Ciertas riberas tenían el agua transparente en cuyo trasfondo se deslizaban los peces de colores. La roca formaba esculturas extrañas de monturas gigantes, cadáveres insepultos, monstruos marinos. Desde el Cerro de la Paja, el más alto, se dominaba la Isla Virgen. Una escritora francesa que anduvo por allí lo describe así:

«La isla entera está a nuestros pies, pequeña y casi redonda, y como perdida en medio de la inmensa seda gris pálida del mar que se confunde con el cielo y que subraya con una línea blanca los accidentes de la costa. ¡Cuán misteriosa y bella nos parece en su soledad, por ningún ruido perturbada, escondida aún a medias en una bruma que sube de su costa este, bañando sus valles!, y cuán extraño el paisaje de volcanes, que por todos lados surgen de su suelo. Contamos más de una treintena de ellos, todos de forma cónica.

«Al oeste, aislados, se destacan nítidamente en la parte baja de la isla donde predomina la grisalla de la vegetación seca; al este, en una zona elevada y más húmeda, se estrechan, separados por pequeños valles, cubiertos de un vellón lanudo por el verdor sombrío de los bosques de limoneros»[1].

En tanto los dos descubrían los accidentes y el embrujo de los parajes, abajo Paul Wernolf y Oscar Galindo continuaban la diaria brega en la construcción de un gallinero y palomar. La baronesa había ordenado construir en el mismo cuerpo un reducido granero. Colocaron un postigo. Allí se colocaron las dos cajas de Colvin.

—Es menester echar una ojeada al contenido —dijo un día Galindo.

—Será peligroso. Están claveteados.

—Habrá que abrirlos.

No hablaron más.

Al amanecer, Jack Colvin creyó escuchar ruidos detrás de la barraca. Podía ser el ganado, los perros andariegos, los verracos. Se levantó sobresaltado. Tomó su pistola y una linterna y rodeó la chacra. No vio a nadie. Entró en el granero, donde encontró las tablas levantadas de los cajones. Volvió a la barraca. Galindo roncaba y Wernolf, echado de bruces, apenas respiraba.

Al día siguiente confió a la baronesa sus temores. Ella reaccionó al instante.

—¿Cómo lo sabremos? Puede ser Weinhardt, puede ser Lindemann. Nos están espiando.

—Puede ser Wernolf.

—Pobre Wernolf. Es incapaz de nada por el estilo. Es un pobre chico al que tú tratas muy mal.

1   Paulette E. de Rendón, *Galápagos. Las últimas Islas Encantadas.*

—Es un tipo despreciable, enfermo y taimado.

—Y ¿por qué no pueden ser los otros? Tal vez Galindo. Desde hace tiempo no me inspira confianza.

—Es poco probable que Lindemann o Weinhardt hayan conocido la existencia de las cajas y vengan en la madrugada a desclavarlas.

—Todo es posible.

Echaron un candado en la puerta reforzada y no volvieron a mencionar el asunto. Pocos días más tarde Galindo partía para siempre de la isla Floreana. Había recibido su parte. Además sabía el secreto del equipaje de Jack Colvin: un teodolito y otros instrumentos de ingeniería, un radiotransmisor último modelo desmontado en piezas de diferentes tamaños. Viajaba satisfecho. El aire de la isla le había recordado sus años de colono y penado, de grumete fugitivo.

Jack Colvin no perdió el tiempo. Debía cumplir su misión lo antes posible. Tenía instrucciones de hacer mediciones precisas en ciertas áreas del terreno, de anotar la profundidad de las aguas en algunos sectores y cumplir otros cometidos. Los japoneses poseían abundantes informes sobre las islas Galápagos. Habían mandado emisarios en épocas anteriores. Los descubrieron con sus instrumentos en exploraciones de mar y tierra. Los llevaron a la cárcel, los interrogaron, los presionaron para que hablasen. Nunca respondieron. Se mantenían impenetrables como esfinges, sin mover un músculo. Más tarde publicaron referencias en sus boletines científicos. Hoy necesitaban datos más completos. La guerra no estaba lejana. Estados Unidos no permitiría la expansión que les hacía falta y en ese caso Japón atacaría a Estados Unidos. Las Galápagos constituían una cabeza de puente. Así consideraban los Estados Mayores de los dos países, afirmaban los informes secretos y las noticias de prensa que se publicaban en los periódicos del mundo.

Guiado por un impulso febril, comenzó a recorrer la isla anotando niveles, alturas y cotas con sus instrumentos topográficos. Disponía de un plano general y necesitaba concretar cifras. Todas las mañanas muy temprano se perdía en la encrucijada de las pendientes para llegar a sitios determinados. Otras, en las orillas cercanas empleaba la sonda de mano y la regla graduada o la ecosonda, cuando lograba adentrarse en el mar. Montó la estación de radiotelegrafía en el granero. Entre el hueco de las tablas extraídas de los cajones formó una pared invisible que cedía al levantar una de ellas. Esperaba el arribo de los barcos pesqueros. No tardaron dos meses antes que llegaran los dos primeros. Vinieron de anochecida y los reconoció por el juego de luces suaves e intensas. Comenzó a transmitir sus informes, recibió nuevas instrucciones. En cada viaje hacían una señal diferente. No obstante, las luces le inquietaban. Demasiadas personas en la isla, aun cuando a aquella hora descansaban. Desconfiaba de Wernolf desde el asunto de las cajas. No lo soportaba porque compartía con él el cuerpo de la baronesa. Una noche se desfogó con inquina. Cuando entraba los encontró tendidos en el diván mientras se acariciaban. Lo cogió de los cabellos y lo golpeó hasta dejarlo sin sentido. El trató de defenderse sin lograrlo. Lucharon hasta que el otro cayó; la sangre le chorreaba. La baronesa no dijo nada. No intentó defenderlo; se contentó con curarle las heridas.

La semana pasada había ido donde el doctor Weinhardt para que le diera algunas instrucciones sobre cultivos. Aborrecía al doctor. Tenía la mirada maligna y un aire de superioridad que le molestaba. El fue un bailarín, quizá un aventurero; pero se consideraba hombre refinado que frecuentaba los salones elegantes, la gente de mundo en las ciudades a donde le llevara la suerte. Intempestivamente, Grete había salido a recibirle. No tuvo tiempo de vestirse. Llevaba pantalones cortos y mostraba los pechos combados. La miró conturbado. No era muy joven; pero su piel estaba aún lisa y brillante, tostadas las piernas frágiles, afinada la silueta de epidermis sinuosa. Ella penetró en seguida en el *bungalow* y apareció el doctor malhumorado. Fueron al huerto por espacio de una hora. Ella no volvió. Nunca salía cuando regresaba a la chacra del doctor, y si por azar se encontraba en el camino, se escurría entre los guayabales.

Grete estaba tendida en la herradura de grama con un libro. El sol vertical le caía en la frente. Los tamarindos manchaban su cuerpo. Estaba más sola que nunca. Los nervios quebrados. El doctor había envejecido y se tornaba cada vez más irascible, se encerraba en su mutismo.

—Grete —llamó—, Grete. No sabes la última noticia que me ha sido comunicada. La baronesa fue espía en la primera guerra. Hoy presumen que anda comprometida en el servicio informativo de Francia o el Japón.

—Estamos bien librados, entre una baronesa enajenada y una judía alemana. Tuve intuición desde el primer momento. Hemos perdido nuestra libertad. Lo siento por ti, Karl, que tanto la apreciabas, que viniste aquí para huir del mundo convencional.

En ese momento sonó la campana. Después de breves instantes entró Lindemann.

—Profesor, le traigo el pescado que me solicitó.

El doctor pensó que era el momento oportuno para interrogarlo.

—Siéntese. ¿Le podemos ofrecer un poco de naranjada?

Aceptó, sorprendido por la amabilidad del profesor.

—Dígame, Lindemann. ¿Usted, antes de venir acá, pasó por Estados Unidos?

—No. ¿Por qué me lo pregunta?

—Se me ocurrió que usted conocía Norteamérica.

—Nunca he estado allí.

—Me supongo que habrá tenido amigos norteamericanos en Berlín, porque no desconoce el inglés.

—Aprendí un poco en la última guerra. Fui prisionero de los norteamericanos.

—¿Qué grado tenía usted entonces?

—Sargento primero.

—Bien. No tiene importancia. Aquí tiene los vegetales que le prometí.

Lindemann se levantó presuroso. Sabía que al profesor no le gustaban las visitas prolongadas, y se despidió con una breve inclinación de cabeza.

La baronesa sintió mucho calor. El sol ardía. No quedaba agua para el recipiente que le servía de bañera y necesitaba refrescarse, jabonar sus miembros en el agua dulce. El baño de mar no la limpiaba. Apenas refrescaba su cuerpo polvoriento. Iría a buscar el agua de la fuente. Qué le importaba lo que pensasen el doctor o los Lindemann. Siempre andaban platicando sobre la escasez del agua, y agua no faltaba. La vertiente siempre derramaba el mezquino chorro inagotable. A grandes pasos siguió las líneas arrugadas del valle.

Llegó junto a la alberca y la observó con codicia. Agua fría, transparente. Además, suavemente correntosa. Hacía meses que no había sentido que el agua se deslizara por sus flancos, que batiera sus músculos, que purificara la redondez de su vientre. Buscó un recodo y comenzó a despojarse de sus escasas prendas. Quedó desnuda frente a la tierra musgosa, frente al sol abrasador. Se deslizó en la roca curvada cuya aspereza lastimó las plantas de sus pies, sintió el azote del chorro endeble, refrescante. Frotó sus muslos y sus brazos largos. La alberca se colmó de espuma. Lo hizo una y otra vez. Sintió su piel más recia y una sensación de sed que amortiguaba sus entrañas.

De pronto, por un ángulo, apareció el doctor. La mirada severa se encendió. ¿La contemplaba con odio, con deseo? ¿Quién lo sabía? Dejó caer el recipiente que llevaba y avanzó iracundo.

—¿Cómo se atreve usted? ¿No sabe que es el agua que bebemos? El agua con la cual cocemos nuestro alimento. Es mi agua. Yo cavé la piedra. Yo trabajé el estanque. Yo la preservo para subsistir.

—El agua es de todos —dijo ella exaltada—. No creo que usted tenga una patente. No es el amo de la isla. Me exaspera su arrogancia.

—Usted es una cualquiera —rugió el doctor—. Desprecio su impudicia.

—Usted ni siquiera es doctor, sino un simple sacamuelas.

—No me interesan sus apreciaciones. Ha venido a trastornar la isla. Usted y sus amantes, antes vivíamos en paz.

—¿Cómo se atreve a increparme? ¿No tiene usted la suya? Una profesora, que también anda desnuda.

El doctor se arrojó sobre ella, la sujetó fuertemente de los brazos; no pudo evitar el roce de sus senos. Ella echó la cabeza hacia atrás en una postura desafiante.

—Grete no es una cualquiera; se ha sacrificado por mí, ha abandonado todo. En cambio, usted violó mi correspondencia, emborrachó a Varanger para que le ayudara, corrompe el agua, maltrata a su camarero enfermo.

—Mis cajones los abrió usted.

—No sé a lo que se refiere. ¿Qué valor puede tener su palabra, si a todos engaña?

La soltó bruscamente, le dio la espalda rabioso, los ojos desorbitados, las manos temblorosas, y se alejó sin voltear la cabeza. Ella quedó jadeante de co-

113

raje, saturada de rencores. No se sentía mujer. Los brazos fornidos del doctor habían hollado las sensibilidades de su sexo desdeñado.

114

VI
El capitán Funk

LLOVIA A intervalos espaciados. Chorreaba el agua por los palosantos, se desbordaba por los paraguas de los acacios, golpeaba los algarrobos. Caía en canales dispersos por la gradiente. Las pistas de los cachorros se confundían con el fango y los pastos despuntaban verdegueantes en las planicies de nuevo pobladas de animales sin dueño. Llovía, pero escampaba; entre tanto arreciaba el rigor de la temperatura caliente. Los ganados salvajes, los cerdos cimarrones, los perros hambrientos ya no buscaban el agua, olfateando inquietos en las resquebrajaduras de las rocas de color petróleo. Ahora la bebían abundante y desbordadora.

En la chacra de los Lindemann los tallos de las patatas reverdecían, las semillas brotaban. El agua se infiltraba por las rendijas del techo encañado.

Cuatro hombres penetraron empapados en el chozón de madera. Pidieron asilo y algo de beber. Tres eran norteamericanos y uno alemán. Este último, bastante alto, canoso de aspecto marcial. Habían llegado en el yate "San Francisco", que se dirigía a Tahití. Se estrecharon las manos y bebieron el refresco

115

de papaya que Matilde Lindemann puso en un jarrón sobre la mesa.

—No sabíamos que había llegado ningún yate. No hemos salido de la casa; con este tiempo sólo apetece permanecer encerrados.

—Hemos llegado esta mañana muy temprano —dijo el alemán. Su nombre era Albert Funk. Capitán Albert Funk—. Y nos marchamos esta tarde. Teníamos particular interés en visitarles. Otros amigos norteamericanos nos han hablado de la cordial hospitalidad de ustedes.

—No sería perdonable que habiendo un alemán a bordo no viniera a ver a sus compatriotas. ¿De dónde es usted?

—De Colonia.

—Yo vengo de allá —dijo Matilde.

—Lo sabía, y he querido visitar a mis compatriotas.

—Bienvenidos. Les prepararemos algo para almorzar.

—Aceptamos —dijo uno de los americanos—. Si vuelve a llover no podremos regresar hasta la tarde.

—Matilde. Vamos a tener el gusto de compartir nuestra comida con estos señores. Prepara alguna cosa especial.

Matilde, que se había alejado a traer otro jarrón de jugo, se apresuró a decir:

—Si hubiera sabido...

—No importa, comeremos lo que tengan. No se preocupen por nosotros.

—¿De dónde vienen?

—De San Francisco.

—¿Usted reside allí?

—Resido en Washington. Estos buenos amigos me han invitado a un crucero y he aceptado gustoso —dijo el capitán Funk—. El yate es de Mr. Percy Walker, uno de los magnates del petróleo.

—No soy un magnate. Soy un simple propietario de concesiones petrolíferas —exclamó Mr. Walker, satisfecho.

Un marino había traído dos cajas; una cuadrada y otra rectangular. Estaban envueltas en gruesos cartones y sujetas con cuerdas.

—Nos hemos permitido traerles algunos víveres.

Matilde Lindemann no pudo disimular su complacencia. Se acercó para abrir los paquetes.

—La condición es que los abran cuando hayamos partido.

—¿Por qué nos privan de esta sorpresa? Para nosotros significa tanto...

—Esa es la condición, señora Lindemann. ¿Cómo está el doctor Weinhardt?

—¿Lo conoce usted?

—No. Pero he oído hablar de él.

—Está bien. Siempre muy retraído. Han venido otras personas a radicarse en la isla. Gente bastante extravagante.

—¿Quiénes son?

—La baronesa Von Rath y dos hombres que la acompañan. Dicen que quieren establecer un centro turístico.

—No es mala idea, si las condiciones de las islas se prestan para ello.

117

—¿No han visto ustedes el aviso? ¿Cómo así no han ido a visitarles?

—No creo que sea para nosotros la primera visita. Todos van a visitar al doctor Weinhardt y a la baronesa.

—Nosotros teníamos referencias de ustedes y yo sabía que venían de Colonia. No tendremos tiempo para visitar a los demás.

Matilde había preparado entre tanto carne de ternera, huevos, arroz y un cesto de frutas diversas. Les ofrecieron aguardiente destilado en casa. Encontraron que no tenía mal sabor y alabaron el esfuerzo. En todo caso, tomaron otras copas. No se esperaban una comida tan suculenta. Había dejado de llover, pero las gotas se infiltraban por las grietas del techo con un sonido monótono. El capitán Funk se levantó y, hablando siempre en alemán, dijo:

—Señor Lindemann. Me gustaría conocer su plantío. ¿Quiere usted acompañarme?

Salieron los dos. Las pisadas se hundieron en el barrizal. Bordearon el huerto y los frutales. Inspeccionaron los sembríos.

—Avancemos un poco por el monte. ¡Qué vegetación tan extraordinaria!

Cuando les escondían los arbustos, el capitán Funk tomó del brazo a Lindemann y dijo una sola palabra.

—H5.

El rostro de Lindemann se inmutó.

—H5. Soy el capitán Funk, del Servicio Secreto del ejército alemán. Desempeño por el momento las

118

funciones de adjunto militar en Washington. Pertenezco a la Organización Mundial de Influencia Alemana. Usted estará enterado de que Hitler está en el poder. Acaba de disolver el Parlamento, ha creado las legiones de fuerzas de asalto, persigue sin tregua a socialistas, comunistas y judíos. Cuarenta mil judíos se han refugiado en Francia. Ha creado campos de concentración en Buchenwald y Dachau. El capitán de corbeta Canaris considera que el nuevo régimen será la perdición de Alemania. Hitler prepara una gran ofensiva militar. Canaris se ha puesto en contacto con el ministro polaco de la Guerra para alertar a ese país, a su aliado Francia, a Checoslovaquia, Bélgica, Italia y Austria. Si estas potencias se ponen de acuerdo ante la primera tentativa de Hitler, el ejército lo derrocará. Aún es tiempo. De lo contrario vendrá una catástrofe mundial. Tengo instrucciones para usted. En primer término, en uno de los cajones encontrará los instrumentos necesarios para efectuar mediciones en algunos puntos de la isla. Aquí tiene el plano de lo que nos interesa. Esto no es lo más importante. Hemos interceptado mensajes que emiten desde aquí. Presumimos que están dirigidos a otras embarcaciones situadas no lejos de la costa. Abrigamos la seguridad de que la baronesa Von Rath y sus acompañantes los transmiten. Su misión será indagar desde dónde lo hacen y vigilar noche y día las costas para comprobar si se acercan o permanecen a distancia barcos o botes pesqueros. Nuestros barcos no se aproximan por el momento a estas costas; pero disponemos de patrulleros norteamericanos que vigilan a prudente distancia. Estamos de acuerdo con el Servicio Secreto de los Estados Unidos para conocer las intenciones de otras potencias y singularmente del Japón. Cuando vea usted aproximarse embarcaciones, generalmente lo hacen por la noche, encenderá una fogata en un punto visible de la isla cerca de su casa. Presumimos que los mensajes van dirigidos a pesqueros japoneses. No tenemos la prueba. Además deben tener una clave de criptografía. Nosotros necesitamos esa clave.

—Capitán Funk. Es muy difícil introducirse en otros predios en esta isla con tan pocos habitantes; se darán cuenta en seguida. La baronesa tiene dos socios. La casa nunca está sola.

—Tendrá que infiltrarse usted o hacer que se infiltre su mujer con cualquier pretexto. Por ejemplo, prestándose a ayudarles en los trabajos agrícolas. Necesitamos esa clave.

Lindemann permaneció aturdido, casi atemorizado. La misión que tanto había esperado venía a constituir un verdadero rompecabezas. Sin embargo no podía desobedecer.

—Bien, capitán Funk. Haré lo que esté a mi alcance. Me temo que la tarea tome bastante tiempo.

—Lo hemos previsto y oportunamente vendrá otro enlace. Si usted llega a obtener la clave antes del tiempo que hemos calculado, encenderá por tres días consecutivos fogatas a las doce, a la hora de comer. Eso es todo de momento.

Regresaron al bohío.

—Yo conozco mucho estas islas —prosiguió Funk—. Presté mis servicios a órdenes del capitán Félix, conde de Luckener, en la guerra mundial.

Gunter Lindemann recogió toda la leña que tenía al alcance y la depositó bajo techo para que se secara. Al día siguiente la expondría al sol. Se vio precisado a abandonar los cultivos al menos hasta mediodía para cumplir en parte las tareas encomendadas por el capitán Funk. Tomó las precauciones del caso para evitar encontrarse con algún habitante de la comarca. Operaba muy temprano, al amanecer. Estableció una guardia nocturna, dividida en horas, entre él, su mujer y su hijo, para observar el Pacífico y constatar si llegaba alguna embarcación. Había perdido su sosiego. En adelante sería un esclavo de su propio destino. Mucho reflexionó sobre la maldita clave. No era asunto sencillo conseguirla. El texto podía estar incluido en una cuartilla de papel o en su defecto en una libreta de cifras. Era posible guardarla en el lugar más intrincado. El no estaba en posibilidad de entrar a registrar la morada de la baronesa. Le matarían al primer intento. Pensó en Matilde. Acaso ella, ayudando a la baronesa en sus quehaceres, como lo había hecho alguna vez, consiguiera penetrar en las habitaciones, registrarlas, buscar con extrema paciencia en cualquier escondrijo. A fin de despistar sus rondas nocturnas, se dio modos para informar al doctor y a la baronesa que los animales invadían los sembríos, rompían las cercas y comían los tallos de las plantas. Disparó varios tiros a los pollinos garañones.

Llamó a Matilde y le explicó todo lo que le había dicho el capitán. Ella era la única persona que podía ayudarle. Matilde, malhumorada, se trasladó donde la baronesa. Le dijo muchas cosas agradables para halagar su vanidad. Le hizo notar que la casa andaba descuidada, la basura se amontonaba en el frontispicio. Ella podía darle una mano si le pagaba una mensualidad. La baronesa aceptó complacida. Le pagaría diez dólares al mes. Ese Wernolf se había vuelto un holgazán. Apenas se alcanzaba en los menesteres de la cocina, se perdía en la montaña, regresaba cuando quería. Colvin no tenía la culpa. Estaba obligado a dedicarse a otras labores más importantes.

Matilde Lindemann comenzó a trabajar media mañana en la casa de la baronesa. Atendía la limpieza y preparaba la comida. En vista de que el espacio era bastante reducido y a un solo andar disponía de libertad para moverse libremente. Colvin y la baronesa salían con frecuencia, Wernolf también se ausentaba a veces, pero no tardaba en volver. Aparecía y desaparecía como un fantasma. Estaba hecho un despojo humano. Flaco. Descuidado. No se afeitaba la barba en varias semanas. Tenía constantes accesos de tos que le dejaban exhausto, exprimido por el esfuerzo, con los pómulos salientes enrojecidos. No cabía duda de que era un buen hombre; se llevaba bien con ella y hasta le hizo confidencias. La baronesa le había engañado. Le trajo como ayudante para regentar un gran hotel y le había relegado a los menesteres más humillantes. El debía hacer todo. Acarrear el agua, botar la basura, arreglar los lechos, poner en orden la vivienda. Menos mal que ahora le había mandado a cuidar las legumbres, el jardín y el gallinero. Colvin no hacía nada. Era el preferido de la baronesa. Dormían en la misma estancia. Juntos bajaban al mar o se perdían por los cerros; después de la comida se encerraban para hacer la siesta. Muy de vez en cuando le llevaban a él a las cuevas para entregarse en un recodo que sólo los dos conocían. Regresaba atontado, más blanco que la cal, con las pupilas dilatadas. Parecía un perro sarnoso sin interés por nada a no ser por las caricias de ella. Reñía a menudo con Colvin. Le lanzaba invectivas. Llegaban a las manos, se pegaban. Siempre salía malparado, con la ceja rota, con las mejillas ensangrentadas. Varias veces amenazó matarlo. Le quería matar como una alimaña. A la baronesa nada le inquietaba. Rara vez intervenía. Cuando estaba irritada también le insultaba, le disparaba tiros que no le llegaban. Después le mimaba, le llevaba al bosque y él regresaba más sumiso que una cabra domesticada. La casa era un infierno de pasiones desbordadas. Sería la soledad. Sería el aire de la isla. Sería el cansancio de contemplar siempre el mar. De estar allí como ermitaños, sin querer, sin poder salir hacia otros centros más poblados.

La baronesa decía que la isla la había embrujado. Le atraían esos parajes abruptos, ese aguaje cambiante que no cesaba de estrellarse contra los peñascales con el mismo rumor monótono y cansino. Había dicho que no era factible construir el hotel, al menos por ahora. Faltaba agua; la Floreana estaba distante. Llegaban los barcos, pero se iban pronto. El hechizo no duraba mucho tiempo. Decía que ella se quedaría allí; se quedaría quizá para siempre. Si fuera por ella, expulsaría al doctor y a su concubina. Permanecería con los suyos, de emperatriz de las Galápagos. No había vuelto a ver al doctor después del incidente de su baño en el estanque. Le detestaba; pero le temía. El doctor era duro. No obstante, imponía respeto. Era despectivo, con ese rostro cavernícola que infundía miedo, aunque poseyese un singular atractivo varonil.

Matilde Lindemann prosiguió en sus faenas cotidianas. Cuando se quedaba sola iniciaba la búsqueda entre los trastos y enseres. Husmeó en la biblioteca. Libro por libro. Revista por revista. Revisó las cajas, los bolsillos de Colvin, retiró los muebles, abrió los pomos de crema y los envases vacíos de pintura. En la habitación de la baronesa yacía un baúl de fibra, un baúl negro de camarote con la cerradura ovalada color metal. Siempre estaba con llave y la baronesa la llevaba con una cadena al cuello. Allí debía esconderse la complicada clave que le pedía su marido. Tal vez hubiera sido posible forzar la chapa con un fierro; pero ella no cometería esa imprudencia. Si lo notaban serían capaces de asesinarla y en el mejor de los casos le prohibirían la entrada a la vivienda. Ella no quería romper con la baronesa. Le había tomado simpatía: le regalaba vestidos usados, ollas que le sobraban, le relataba los episodios de su vida pasada.

Matilde recorrió también el gallinero. Observó que el granero estaba siempre con candado. Una mañana que Colvin fue a bañarse olvidó la llave en el pantalón. Abrió el candado y penetró en el aposento.

No encontró nada. Sólo una mesa rústica de troncos. Divisó, sí, el compartimento fabricado con tablas de cajones traídos de Alemania. No tenía abertura; pero observó que las tablas se movían. Levantó una y después las demás. Estaba allí un aparato de radio bien montado y otros accesorios. Siguió pesquisando. No encontró lo que buscaba. Lo del aparato no tenía importancia. Ya lo sabía. Su marido le había dicho que transmitían mensajes. Matilde Lindemann se dio por vencida. Sólo le quedaba el recurso de revolver el baúl negro de la baronesa. No era fácil fabricar una llave en la Floreana. Tendrían que proporcionarle una o, en su defecto, esperar que ella —lo que parecía improbable— se olvidase de la suya.

El doctor Weinhardt se levantó malhumorado. Bajó solo a la playa y se sumergió en el agua. El sol bruñía las rocas. Se tendió en la arena. Quería estar solo para reflexionar mejor. Mucho había cavilado sobre la posición de Lindemann. ¿Por qué motivo estaba en la isla? ¿Quién le había enviado? ¿A quiénes prestaba su colaboración, si lo hacía? Le venía vigilando con cautela. No había observado nada que pudiese comprometerle. Cuando se ausentaba del plantío le acompañaba su hijo portando un saco de cabuya fabricado en Guayaquil. Posiblemente en él transportaba sus cañas de pesca y servía para traer las piezas que había cobrado. Frecuentemente le entregaba pescado a cambio de otros productos de su chacra. Le llamó mucho la atención y le disgustó sobremanera que los viajeros del último yate no fueran a visitarle. Era un hecho inusitado. Todos los que visitaban las islas acudían donde él y en primera instancia. No sin razón los mejores periódicos de Alemania y Estados Unidos publicaban sus artículos. En el último correo recibió una página entera del diario *El Telégrafo* que reportaba sus impresiones de viaje traducidas del alemán y reproducía su fotografía. Además, los visitantes le dejaban muchos objetos que él apreciaba. Los últimos sólo fueron donde Lindemann. Lindemann le había dicho que eran turistas americanos que viajaban por Tahití. En realidad tenían el tipo de norteamericanos, porque él los vio. Almorzaron y permanecieron varias horas, por lo tanto disponían de tiempo para acercarse a su refugio. Lindemann le había confirmado que no había estado nunca en Estados Unidos, que no había cultivado relaciones con ciudadanos de esa nacionalidad residentes en Berlín. No obstante, los americanos habían ido a buscarle. No era posible que le comprometieran para el Servicio Secreto durante su cautiverio en la última guerra; entonces no se pensaba ni remotamente en promover otra; las consecuencias habían sido fatales para todos los países que intervinieron en ella; nadie pensaba en renovar semejante drama. Todos llegaron a la conclusión de que sería la última; no habría más guerras. No obstante los años pasaron y Alemania se erguía como una potencia bélica que hacía temblar el mundo. El estaba enterado de que Hitler exigiría el desquite, estaba en la obligación de lavar con sangre todas las humillaciones sufridas por el Tratado de Versalles. Weinhardt siguió meditando si Lindemann estaría al servicio de los norteamericanos. Sería absurdo que colaborase con Francia, y menos con el Japón. Los alemanes estaban en buenos términos con el imperio japonés. Era más probable que le contratase la Unión Soviética; pero no era comunista. Weinhardt recordó a la baronesa. Volvió a verla desnuda, medio sumergida en el agua de la fuente. La visión le fustigaba el cerebro desde hacía algún tiempo. No había vuelto a encontrarla y si se cruzaban en el camino trataba de esquivarla. No la soportaba por inconsciente y provocadora. Al pobre Wernolf lo llevaría a la tumba. El lo había examinado. Su enfermedad avanzaba y no le daba más de dos años de vida. Escribiría un artículo contra la baronesa. No tomándola en serio, porque sería fomentar su vanidad proclive a la propaganda. Escribiría un artículo jocoso que la hiciera quedar en ridículo. Se levantó de la arena y volvió a la cabaña. Grete no estaba. Se sentó a escribir:

«Impresiones alrededor de la emperatriz de la Floreana.

«Una baronesa nacida en París, capital de Francia, ha establecido un imperio en una de las islas Galápagos y se ha dado el título de emperatriz de esta isla. En todo el mundo corren fantásticos rumores de esa fantástica mujer, así como de sus acompañantes, que son supuestos hombres de Berlín. El Gobierno del Ecuador está a punto de arriesgarse a una controversia con la emperatriz.

«A su llegada, como para radicarse definitivamente, construyó casas e hizo fiestas y un buen día ella proclamaba el imperio y se daba el título de emperatriz de ese imperio. Pero ¿qué son el doctor

Weinhardt, qué son los piratas y qué son los animales del señor Beebe comparados con el golpe de Estado de la baronesa?»

En ese tono humorístico continuó escribiendo hasta completar un artículo que remitió al *Der Mittag*, de Düsseldorf.

Grete llegó y se refugió en la explanada. Estaba fatigada de observar las ondas espumosas que batían los roquedales. La idea de abandonar la isla se aferraba cada día en el subconsciente de sus divagaciones. Lo hubiera hecho desde meses atrás, pero temía al profesor. Nunca la dejaría salir de aquel destierro indefinido. Hubiera querido huir para siempre. ¿Cómo lograrlo desde ese montón de rocas enclavadas en el océano? Echó a andar hacia el Cerro de las Monturas. Caminaba despacio, despreocupada, ausente. Por los alrededores encontró a Colvin, que recogía ramaje. La saludó, le dirigió la palabra, le dijo una frase que no comprendió; por unos instantes se miraron frente a frente. Era de elevada estatura y bien proporcionado. La contempló con insolencia sin disimular su audacia. Sus ojos recorrieron sus muslos, su cintura, las redondeces de su busto despojado. Ella continuó adelante sin responderle. Sintió que la seguía. Los pasos resonaban en la hojarasca. Crujía la enramada, se desfloraban los tallos, sentía los ojos fijos del hombre en su cerebro igual que un imán que le orientara. Tuvo miedo. De pronto el rumor fue decreciendo. Volteó la cabeza. Ya no estaba. Había desaparecido entre los chaparrales.

Aquella noche el doctor Weinhardt se encaminó al monte para transmitir la llegada de los americanos. Observaba por todos los costados. Ya no se sentía solo. Las sombras de los arbustos le inquietaban. Permaneció largo tiempo escuchando. No oyó otros rumores que el gemido del viento, el maullido de los gatos encelados, el lejano gruñido de los lobos marinos. Trasmitiría muy brevemente, puesto que la pila se iba consumiendo. Necesitaba otras de repuesto y tendría que proveerse a corto plazo. Cuando regresaba vio una humareda. Buscó un lugar despejado para mirar lo que ocurría. Vio grandes llamas que se escurrían en el espacio no lejos del plantío de Lindemann. En el mar, las luces de unos pesqueros. Comprendió. Pero ¿a quién diablos servía ese Lindemann?

VII
Hollywood

LAS ISLAS. La bruma cubría los contornos formando un velo espumoso. En el peñasquerío se desperezaban los lobos pardos. Lloviznaba sin tregua sobre el suelo pedregoso. En el estanque natural estructurado entre la roca se deslizaban las focas negras con su piel reluciente, la más cotizada para el mercado. Se sumergían en el agua glacial, para tenderse luego como momias inertes entre las grietas. En la ensenada navegaban los tiburones. Decían que no atacan al hombre, porque estaban bien cebados. ¿Quién lo sabía? Los pulpos gigantes moraban también en el mar. Pulpos que en pocos segundos chuparían la sangre de cualquier ser humano que cayese en sus tentáculos. Los perros bajaban del monte para bañarse con los loboznos. Nadaban juntos; pero mantenían una prudente distancia. Soledad en las islas y en el aguaje que las rodeaba. El hombre sobraba. Los animales no le temían. Los galápagos que habían sobrevivido a la carnicería de siglos atrás se internaban a paso tardo hacia las cumbres cuando les faltaba el agua. Caminaban días y meses hasta encontrarla. Dejaban sus huevos en las laderas o volvían a la playa para cavar los nidos hondos donde depositarlos. Las crías morían en las fauces de los animales errabundos. Las iguanas saltaban de piedra en piedra y buscaban las hendiduras. Cuando las perseguían, los ojos saltones se tornaban sanguinolentos. A veces lanzaban escupitajos fermentados de veneno.

Varanger arrastró el bote hasta la playa y lo cubrió con una lona. Subió silbando por el despeñadero. Estaba de buen humor. Iba a visitar a la baronesa. Permanecería con ella varios días. La imagen de la hembra tentadora no se desvanecía de sus pensamientos. Blonda de cabellos blanqueados. Ojos azules. Era de su raza. Hacía mucho tiempo que no había poseído una de su tipo. Ella le había mirado con pupilas anhelantes. El no tenía experiencia con mujeres mundanas; pero su instinto le hacía comprender que no le era indiferente. Marchaba cadencioso acompañado de presiones optimistas. El partido le había ordenado que se acercara a recoger noticias y llevaba una consigna importante. Recordó sus años mozos de marinero desafortunado, de pescador fracasado en una empresa que terminaría en ruina. Fue a Guayaquil para buscar trabajo. No lo encontró. Quedó sin recursos. Los amigos del muelle le llevaron al *cabaret* de la "Zamba María". Allí conoció a Divo, quien le encomendó ciertas pesquisas en las islas. Le ofrecieron una buena paga y le exigieron obtener su carnet de comunista. Poco le interesaba la política, pero su misión no era arriesgada. El no infundía sospechas. Todos le conocían en las islas y le brindaban cordial acogida. Vivía del bacalao, pero aquellos trabajos extras le proporcionaban dinero para tener más holgura.

La baronesa estaba recostada en un diván cuando entró en la barraca. Colvin ausente, Wernolf atendía la cocina, Matilde ya se había marchado.

—¡Qué sorpresa, Varanger! —esclamó ella. Una sonrisa se coló en sus labios embadurnados de carmín.

—Usted me dijo que volviera. Que viniera a pasar unos días en su casa. He hecho arreglos para dejar el negocio. Aquí me tiene.

—Has procedido bien. Te quedarás un tiempo. Ven, siéntate a mi lado.

—He hablado con el nuevo jefe territorial, con el comandante Quintanar —dijo Varanger—. Me ha dicho que cuando tenga ocasión visitará la Floreana. Quiere hacer una inspección y además arreglar el asunto de las concesiones de la tierra.

—Queremos una concesión de cincuenta hectáreas. Formaremos una finca y luego, si es posible, levantaremos el hotel.

—No creo que tenga inconveniente en concederlas. Me dijo que está dispuesto a ayudarles. No estaría por demás que le hicieran un regalo.

—¿A qué te refieres? ¿Qué género de regalo?

—Dinero, señora baronesa.

—¿Dinero? —dijo ella, molesta—. ¿Dinero para conseguir tierra en una isla desierta? Valiente ventaja.

—No será mucho. Anda muy apurado de dinero.

—¿Cuánto crees que será bastante?

—Alrededor de quinientos sucres.

—Le daremos trescientos.

—A lo mejor se contenta con trescientos. Yo le diré que ustedes no tienen mucho dinero, aunque él considera que una baronesa que ha emprendido tan costoso viaje debe ser muy acomodada.

—Hazle saber que nosotros hemos sacrificado nuestros recursos para que se conozcan estas islas, para que vengan turistas millonarios, para que el país progrese.

—Así se lo diré. Estoy seguro de que llegarán a un acuerdo.

La baronesa no durmió su siesta habitual. Llenó dos copas de coñac e hizo funcionar el fonógrafo. La voz de Maurice Chevalier, en sus canciones del Casino de París, inundó el ambiente recoleto. Sucedieron otros discos, esta vez americanos. Continuaron bebiendo, Varanger se tornó locuaz. Sus complejos de marinero se esfumaron al tenor del alcohol. Fue acercándose a la baronesa, que no hizo nada por detenerle. Echó sus brazos sobre los hombros de ella y la besó en el cuello. Quiso acariciar su cuerpo.

—No —murmuró ella—, no aquí. Mañana por la tarde iremos juntos a las Colinas Verdes.

Al anochecer, Varanger se deslizó por los chaparrales; le seguía Wernolf. Se sentaron en un claro de bosque.

—¿Cómo vas, muchacho? Te veo muy desmedrado.

—Ya no aguanto más —dijo Wernolf—, me han relegado a la categoría de sirviente y de cocinero. Colvin no hace nada. Tengo que atender todos los menesteres. Ahora menos, porque me ayuda esa señora Matilde; pero no durará mucho tiempo. Colvin es un desventurado. No pierde la oportunidad de humillarme. Me pega cuando le apetece. Me ha roto la cabeza. No puedo contra él porque es más fuerte. Me tiene amenazado con matarme.

—Yo me entenderé con él —dijo Varanger, todavía exaltado por el alcohol.

—No hagas nada por el momento porque te matará; siempre anda armado y tiene muy buena puntería.

—Le aplastaré con estos puños.

—Déjalo por el momento; después veremos.

—No puedes dejarte humillar. Es capaz de matarte. ¿No tienes armas?

—Las tienen con llave. Sólo cargo un cuchillo.

—En mi próximo viaje te traeré una pistola. Tendrás que defenderte.

Wernolf permaneció callado, con la cabeza baja, los pantalones deshilachados, hecho un pigmeo.

—¿La baronesa no te defiende?

—La baronesa es una ramera. Está dominada por Colvin. Sólo duerme con él. Está amancebada. Antes fui el preferido. Hoy sólo viene a buscarme cuando se cansa de él.

—¿Por qué no la dejas? Es decir, ¿por qué no te olvidas de ella?

Wernolf no contestó. Luego dijo entre dientes:

—No puedo vivir sin acostarme con ella.

—Dime. ¿Qué hay de nuestros asuntos?

—Pues que Colvin manda mensajes cada ocho días. Lo hace desde el granero. Allí tiene montado el aparato. He visto unos barcos de pesca cerca de la playa. Deben ser japoneses. Ultimamente no han venido. Hace mediciones y sondajes. Lo he seguido.

—Lo sabemos. Estamos enterados de que son pesqueros japoneses. Moscú necesita algo, que considera indispensable, con suma urgencia. Por eso he venido. Dicen que la baronesa o Colvin deben tener una clave. Tienes que encontrarla. Si la obtienes, Moscú estaría informado de esta operación y de muchas otras que tengan planeadas en el futuro. Es probable que estalle otra guerra y que Japón se vaya contra Rusia.

—¿Una clave? No he visto nada parecido entre todos los papeles ni libros de la baronesa. He abierto todos los cajones. Registramos los dos de Colvin. Sé dónde guarda la baronesa todas sus pertenencias, una por una.

Quedó un momento meditando y luego prosiguió:

—Hay un cofre negro de camarote que lo tiene siempre con llave. Lleva la llave en una cadena escondida en el escote. Tal vez allí guarde otros papeles. Lo dudo. Colvin es muy astuto. A lo mejor se la sabe de memoria.

—Divo está convencido de que existe una clave. Tenemos que probar el cofre negro. Se me ocurre una idea. Si te entrego la llave mañana por la noche, ¿te comprometes a registrar el baúl?

—¿Cómo voy a registrarlo si está en la habitación donde duermen ellos?

—Ya me arreglaré, muchacho, para darte tiempo. Vámonos.

Le dio una palmada en la espalda, se separaron, regresando cada uno por distintos caminos.

La baronesa y Varanger penetraron en los pequeños valles serpenteados por los cráteres de los volcanes que se extendían a distintos niveles y formaban grietas cerradas por las ramas. En las hondonadas pacían los cuadrúpedos, que les dejaban pasar sin mirarles ni cerrarles el paso. Dos caballos, quizá los últimos ejemplares de la raza, emprendieron a lo lejos una vertiginosa carrera, las crines ensortijadas, las colas peludas. Nadie les podría alcanzar nunca en el laberinto de las encrucijadas. ¿Serían caballos o novillos desmochados? Los novillos no tenían crines ni corrían tan aprisa. Los helechos cubrían los peñascos espolvoreados de azufre. Rondaban los dos por el paraje muy juntos, estrechándose las cinturas, tocándose las mejillas. Ella reía histérica, recostándose en el lecho de hierba. Se acariciaban unos momentos y volvían a perderse en los recodos monteses. El estaba embriagado, no de alcohol esta vez, sino de placer inesperado. Hacía por lo menos diez años que no acariciaba a una mujer como aquélla. Allá en San Cristóbal los hombres se disputaban por hembras de caderas untuosas y caídas, de pechos fofos, de piernas derrengadas. El se había casado con una de las mejores. Una mujer morena que había llegado de la costa y con ella se entendía. Nunca pensó cruzar su camino de marinero errante y desafortunado con una baronesa auténtica, que ostentaba sellos de nobleza en la vajilla y se dejaba acariciar con veleidades de demonio. Estuvo a punto de no traicionarla y dejar de ser intermediario de ese memo de Divo, pero era demasiado tarde; se había comprometido con el partido. Procuró no pensar demasiado y dilatarse en los devaneos de su pasión exaltada. Tenían razón Wernolf, Colvin, de disputarse la fémina, al menos en esas comarcas donde las mujeres no llegaban sino de paso en los grandes veleros para partir de nuevo, sin dejar huellas, abandonándoles encandilados, más solos que los soldados que se dedicaban a mirar las estampas de figuras desvestidas.

El se iría con la baronesa a donde ella quisiera. Dejaría a su esposa, se marcharía de las islas. Era rudo; pero poco iluso. Sabía que ella le echaría como un papel a la basura. Pertenecían a un mundo diferente. El representaba un capricho como tantos otros que ella había tenido, y era mejor no meterse en líos, dejar que las cosas transcurrieran como el azar lo dispusiera, igual que su bote de velas cuando le llevaba el mar a la deriva porque la corriente y el vendaval se oponían a sus intentos de enderezar el timón y enfilar hacia las costas. Pensó en el barco, lo único que poseía. Ya estaba envejecido, el motor se trababa, las tuercas enmohecidas de tanto tragar agua salobre. El mar, a la larga, destruía todo; destruiría su velero. Muchas veces estuvo al borde de ser aventado contra los acantilados, de naufragar entre las ondas bravías. Dios, la suerte, le habían salvado y, aunque era supersticioso, confiaba en la buena estrella.

—¿Por qué andas en estas islas como un pirata? —le dijo ella—. Mejor sería que vinieras a trabajar en la finca que hemos comenzado a cultivar.

138

—No sirvo para cultivar la tierra. Mi tierra es el mar; del mar cosecho peces, bacalao, que me proporcionan el sustento. Me ayudo con el negocio de productos que traen de Guayaquil otros que intercambian los pesqueros.

—¿No te gustaría estar siempre a mi lado?

—Sí, me gustaría. Pero tú tienes otros que te quieren. Tendría que eliminarlos. Soy hombre peligroso.

—¿Tan peligroso eres?

—Sí, bastante; al menos cuando bebo.

—Y por lo visto bebes cada vez que se te presenta la oportunidad.

—No niego que me gusta beber después del trabajo, cuando he luchado contra el mar.

La baronesa se acercó a él y le ofreció sus labios entreabiertos. El le lastimó la boca. A ella no le importaba. Sus brazos largos se apoyaban en las ramas que le hacían daño; pero no las sentía. Sus piernas se combaban y su cuerpo se retorcía como el de una culebra. Las espaldas desnudas sangraban, alcanzadas por los espinos. El la agarró de la cabellera, la retuvo largo tiempo entre sus brazos dominantes. Un mechón de pelo quedó en sus manos y los filamentos de la cadena rodaron por el suelo. Un pollino de piel parda se aproximó a ellos y permaneció mirándoles. No se iba. Quedó estancado como testigo inmutable hasta que se levantaron. A trote de inquisidor se perdió luego en la espesura. Ella, desmelenada, andaba por la grisalla sin pronunciar palabra.

Atravesaron por los contornos de una laguna. Vieron aves con patas alargadas, pájaros con grandes alas negras, gorriones de buche color tabaco. Conforme descendían, los riscos que parecían muros de catedrales de mármol negro con arabescos bizantinos se les venían encima. Los valles y las Colinas Verdes asomaron de nuevo. Buscaron las trochas hasta orientarse y llegar a "El Paraíso". Varanger no hablaba; pero no perdía un detalle de los esguinces del camino. Miraba vigilante los dédalos y declives que trazaban los montículos.

De regreso a la cabaña, Colvin les esperaba impaciente. La baronesa le colmó de mimos.

—Hemos recorrido el Cerro de las Colinas Verdes —dijo—. Son sumamente pintorescas. Varanger es el único que sabe por dónde se llega a esos parajes. Debo compensarle. Varanger, ¿supongo que tomarás unas copas?

—¿Por qué no? Las tengo muy merecidas.

Wernolf trajo una botella de coñac, luego otra. Escucharon música. Bebieron hasta el anochecer. La baronesa se había recuperado de la modorra de la caminata y se mostraba expansiva. Bailaba con los dos. Besaba a Colvin, apretaba a Varanger, comenzó a tartamudear, a decir frases incoherentes. Colvin cabeceaba en el asiento. El noruego hablaba en voz alta, servía más licor. De pronto abandonó el aposento y se deslizó a la cocina. Hizo una seña a Wernolf y los dos salieron.

—Date prisa, muchacho —exclamó—. Aquí tienes la llave. Dentro de un poco todos estaremos dormidos.

Cuando regresó, la baronesa, en completo estado de ebriedad, dormitaba en el diván. Colvin, semirrecostado, tenía las piernas extendidas y los brazos caídos. El, tambaleante aunque más vigoroso, se sirvió otra copa y esperó. El mundo le parecía un dedal, el mar una laguna, su velero un trasatlántico que navegaba en pleno océano conduciendo a la baronesa mientras él fungía de capitán. Sentóse en el diván y comenzó a acariciarla. Oyó ruidos en la pieza contigua; pero no hizo caso. La baronesa comenzó a desperezarse, abrió los ojos, miró a su derredor.

—¿Dónde estoy? —exclamó aturdida.

—Estás conmigo. Lo demás ¿qué nos importa?

—¿Dónde está Colvin?

Colvin también despertó. Vio entre sueños que Varanger trataba de abrazar a la baronesa. Se puso de pie como un resorte y haciendo esguinces llegó hasta el sofá. El noruego le dio una manotada en el pecho y cayó en el diván de espaldas. Colvin sacó la pistola. La baronesa se interpuso y empezó a acariciarle los cabellos. Le enlazó con sus brazos, le besó, le murmuró algo al oído. Después de unos instantes los dos penetraron en la alcoba.

Varanger durmió su borrachera echado en el diván; se despertó al despuntar el alba, como era su costumbre. Bebió un jarro de agua fría, fue a la cocina, donde dormía Wernolf, y le sacudió.

—Dame la llave.

Medio dormido le entregó el pantalón remendado. La tomó presuroso y caminando a toda prisa buscó el sendero del cerro. No estaba demasiado lejos, lo conocía muy bien y sabía que podía desviarse en una trayectoria casi vertical. El viento azotaba y le despabiló la cara amoratada. Anduvo perdido en el zigzag de las pisadas de los burros. Desbrozó la maleza y halló en un rincón el pañuelo que había dejado. Depositó la llave entre los fragmentos de la cadena de oro.

La baronesa se despertó tarde y con un genio endiablado. Le dolía la cabeza, tenía los párpados hinchados, la lengua seca. Gritó para que le trajeran jugo de naranja y café bien cargado. Tomó otro coñac para entonarse. De mala gana se arrastró de la cama y se puso frente al espejo. El cutis principiaba a marchitarse. Echó la culpa al sol ecuatorial, a la comida enlatada, a la carne que consumía en demasía. Tendría que ponerse a régimen. Además, no tenía cremas ni lociones. Le hacía falta el Instituto de Belleza de París. Al iniciar el maquillaje notó que le faltaba la cadena. Una mueca de ira desfiguró su rostro; empezó a gritar a pulmón lleno:

—¡Paul! ¡Paul! ¡Paul!

Pálido como un espectro se presentó el cocinero.

—¿Dónde has puesto mi cadena? La llevaba ayer y hoy no la tengo. ¿Tú la guardaste?

Wernolf alzó los hombros:

—¡Qué sé yo! Nunca la he visto. La habrá perdido, se rompería cuando se revolcaba en el diván y luego en la cama.

Ella le lanzó una cachetada.

142

—Insolente. Eres un insolente y un malagradecido.

Sus ojos echaban llamas de ira.

—Retira la cama, sacude las mantas, busca en el suelo.

Wernolf obedeció, aun cuando sabía que de nada le serviría hacerlo. Fue al cuarto de estar, removió los muebles, introdujo las manos en los cojines, se arrastró por el piso.

La baronesa, después de superar los primeros ímpetus que le hacían moverse como una ardilla, trató de serenarse. Recurrir a Colvin significaría un serio altercado. En última instancia, tendría que romper la cerradura. De pronto recordó su amor butal con el noruego, cuando casi le arranca parte de la cabellera. Buscó el pantalón de montar, las botas, el arma y la cartuchera. Varanger aún dormía la resaca. Le tomó de la barbilla con violencia.

—Varanger. Varanger.

El abrió los brazos y los extendió desperezándose, porque en realidad había vuelto a conciliar el sueño.

—Varanger. Levántate. Te necesito de urgencia. Necesito que me lleves al mismo sitio donde estuvimos ayer.

—¿Y por qué no a otro? —dijo con sorna.

—Al mismo lugar, ¿me entiendes? He perdido una joya.

—No será de tanto valor para caminar tan lejos.

—¡A ti qué te importa! Es una joya de familia.

Merodearon cerca de dos horas entre riscos y arbustos espinosos. Entraban por una vereda serpenteada y se extraviaban en el laberinto. El la dejaba

143

perderse. Al fin llegaron al paraje donde el jumento les había mirado extrañado. Ella se precipitó a rebuscar la hierba que sirviera de cama. La cadena estaba allí, fragmentada en dos mitades, y junto a ella la llave.

Exhaló un suspiro de alivio. Agarró al noruego por el cuello y le apretó los labios con vehemencia. La mala noche la había enardecido. Volvieron a tenderse en la alfombra de hojas espigadas.

Varanger partió con las manos vacías, porque Wernolf no encontró en su registro nada parecido a una clave de criptografía. Había visto y revuelto vestidos, pieles, artículos personales y otros menesteres. Sin embargo, quedaba adentro un cofre más pequeño de metal, con llave, pero no encontró la llave ni tuvo tiempo de hacerlo. La baronesa comenzaba a despertarse y no se arriesgó a ser descubierto en flagrante delito.

En vano el doctor Weinhardt se levantó muchas noches para ver si avizoraba en alta mar otras embarcaciones, y en vano también Gunter Lindemann y su mujer pasaron muchas noches en vela con la excusa de cuidar sus plantíos de los daños del ganado, porque los pesqueros no volvieron.

Una mañana divisaron un gran yate con velas blancas que se mecía en el mar. Los amigos de la baronesa comenzaban a llegar. Eran artistas de Hollywood. Tres mujeres y dos hombres, uno de ellos llamado John Mac Donald, propietario de la embarcación. La baronesa y sus acompañantes bajaron de inmediato a la playa. Hubo demostraciones de júbilo y griterío cuando tocaron la arena. Venían a las Islas Encantadas en viaje de placer y también para filmar una película en ese escenario exótico. Mac Donald era corpulento, de bigotes finos, simétricos. Las mujeres, de remarcable belleza, cada una dentro de su tipo. Desembarcaron muchas cajas de licores, champaña y alimentos, Wernolf se encargó de transportarlas.

Un barullo poco usual se produjo en la isla durante los días sucesivos. Correrías por la playa. Paseos en el monte. Recorridos en lancha por los alrededores. Nutridos disparos y por las noches las luces permanecían encendidas hasta la madrugada mientras corría el champaña, sonaba el fonógrafo y se colmaban los ceniceros de pitillos a medio consumir. La baronesa y sus huéspedes fueron a las cavernas para filmar una película. Debió de ser un filme de piratas, puesto que Mac Donald aparecía con una chaqueta negra, los puños arremangados y un sombrero echado hacia atrás como los que usaban los bucaneros. Ella llevaba un pañuelo vistoso en la cabeza y el busto sólo cubierto por un velo transparente. Después de filmar algunos episodios volvían a la barraca con más entusiasmo para reanudar los festejos. Tomaron otros rollos de cinta cinematográfica. El argumento se desarrollaba entre los escollos de las Galápagos. Un buque había naufragado cerca de la Floreana. Lograron salvarse y nadar hasta la playa un hombre y una mujer. La baronesa, en calidad de emperatriz de la isla, vigilaba desde lo alto sus dominios. Ordenó a Colvin que diera muerte a los intrusos. Este último tomó un hacha y se aprestó a obedecer el mandato y cometer el crimen. La mujer se internó por las colinas; ofuscada entre los riscos, perdió la serenidad y enloqueció. El hombre también recorría aturdido los parajes en busca de agua. La sed le doblegaba. La baronesa le miró de cerca y sintió la tentación de hacerle su amante, y para detener a Colvin que le perseguía disparó contra él, hiriéndole en el pecho. Cuando el hombre llegó donde ella estaba y le pidió agua, llenó un ánfora y se la entregó a cambio de su amor, exigiéndole la muerte de su compañera. El fue a cumplir las órdenes y la asesinó. La baronesa, satisfecha, le colmó de caricias.

Un drama que estaba a tono con el subconsciente de la protagonista. La película era de acción muy rápida y trama dislocada, pero sería representada más tarde en uno de los yates que venían de San Francisco.

Un día decidieron efectuar una cacería en el Cerro de la Paja. El trayecto era largo, demasiado largo para las turistas, que no conocían otros esfuerzos que permanecer frente a las pantallas para conformar los episodios de un melodrama. La baronesa disponía de dos asnos, pero necesitaba otro para completar la cabalgata. Pensó en el doctor Weinhardt, quien poseía uno amaestrado. Lo había encontrado medio moribundo por falta de agua, tirado en el huerto. Le dio de beber y el jumento, agradecido, se quedó en el plantío para siempre. La baronesa envió a Matilde para que parlamentara con el doctor. La reacción de este último fue instantánea.

—Dígale a esa señora que no se lo presto.

La baronesa se sintió doblemente humillada y decidió trasladarse personalmente para tentar su suerte.

146

—He mandado a decirle que no podía prestárselo —dijo, iracundo, el doctor.

—Profesor, se trata de artistas de Hollywood. Necesitamos hacer una excursión al Cerro de la Paja y nos hace falta un asno, el suyo.

—Lo lamento. No puedo proporcionárselo.

Los ojos de la baronesa se encendieron llenos de odio. ¿Cómo era posible que llegara hasta el extremo de negarle el animal? Intentó persuadirlo, pero todo resultó inútil. El profesor no cedía. La baronesa perdió los estribos y le colmó de improperios. Le llamó Buda, egoísta y otros epítetos ofensivos que le vinieron a la cabeza. El profesor le contestó con el mismo tono de agresividad. Ella se retiró extenuada. Esta negativa significaba la ruptura definitiva, y además quería vengarse.

Aquella noche, ella y sus invitados bebieron más de la cuenta, bailaron hasta la madrugada y después, afectados por el alcohol, comenzaron a recorrer los desfiladeros. Se escuchó un tiro en la oquedad. Al día siguiente, el pollino del profesor amaneció con las patas estiradas no lejos de la chacra.

El doctor Weinhardt sintió que se le había colmado la medida. Aquella mujer le hacía la vida imposible. Era necesario proceder. Sentado frente a la máquina escribió una denuncia al jefe territorial de San Cristóbal.

«En ninguna forma esta mujer tiene la conducta que corresponde a una persona normal; se trata, indudablemente, de una desequilibrada espiritual, cuya permanencia en un lugar habitado por tan corta sociedad como la nuestra significa una real amenaza». Hacía alusiones a la existencia desordenada de la baronesa, «bebiendo continuamente, al extremo de hallarse en permanente estado de ebriedad. Agregue a esto el hecho de que tanto ella como el llamado Colvin son dados a usar y abusar de las armas de fuego, y tendrá una idea aproximada del peligro cierto que corremos las personas que, por ironía, hemos venido a vivir en paz en este rincón de la tierra».

Terminó de escribir. Cerró el sobre y se encaminó a la Bahía de Correos para depositarlo.

VIII
El comandante Quintanar

SAN CRISTOBAL. Casas diseminadas. Casas de
madera, de piedra negra, de caña seca. Playas de arena blanca. Bohíos incrustados en el suelo duro. Caminos terrosos. Barracas como cajones, rectangulares,
con techos igual que penachos, o con tablones alados.
En el mar, abundante pescado que no se recogía. En
los montes, ganado remontado que se mataba sin tregua para el negocio de carne con los pesqueros o que
se encerraba en manada para mandarlo a Guayaquil.
La vieja Capitanía. Un hangar de techo acanalado,
con muros enrejados. El comandante Pompilio Quintanar y dos tenientes. Treinta soldados. En la playa
marchaban sudorosos.

—Quier-dos. Quier-dos. Alt.

—Tenderse. Levantarse. Tenderse. Levantarse.
Había que sacar el sucio de los huevones para que
pierdan el miedo y sepan pelear en la revolución.

—Al frente carrera mar. En fila. A discreción.
Atención fi. Vista a la de-ré.

—Treinta soldados, sin novedad, mi comandante.

El comandante Quintanar levantó la cabeza y llevó el brazo derecho al quepis de franja amarilla. El

149

uniforme estaba desabrochado. Las palas de los hombros ostentaban dos estrellas en galones labrados con dos fusiles en cruce. La barba le crecía hirsuta. La tez, oscura, hacía resaltar los ojos negros.

—Suelte a la tropa, teniente. Esta tarde llevará a los soldados a recoger ganado.

—A sus órdenes, mi comandante.

—Perra vida —exclamó el comandante. De un manotazo mató una mosca gorda que le embestía en las sienes. El, oficial de Estado Mayor con excelente trayectoria, relegado a las islas Galápagos.

—Porca miseria —murmuró, acordándose de sus tiempos de Italia. Había estudiado en la Escuela de Guerra de Turín y se casó con una italiana, Francesca, que había quedado en Quito. ¿Cómo podía traerla a semejante destierro? Faltaban los víveres. Estaba harto de comer frutas, carne de toro y pescado frito. Ganaba ochocientos sucres. Seiscientos mandaba a la mujer; le quedaban doscientos. ¿Qué podía hacer con tan magro estipendio? Capturar novillos y mandarlos a la costa. Lo habían confinado por político. Ese diputado demagogo, barbilampiño, disociador de masas, sucesor de Rasputín. El comandante era liberal del 95, comedor de curas, revolucionario por ancestro. Fue gran amigo del presidente depuesto. El diputado le había destituido en el Congreso por intrigas palaciegas. En vista de su amistad con el presidente, y porque estuvo dispuesto a sostenerlo, le enviaron a Santa Cruz. El tiempo de guarnición, de acuerdo con los reglamentos, tenía un plazo. Al regreso se encargaría de buscar adeptos entre sus compañeros, de sublevar la tropa, de promover la revuelta. Sentía arder su sangre de soldado macho. La isla era un infierno. No tenía nada qué hacer. Esperar la llegada de los barcos. Cobrar tasas portuarias a los pesqueros. Tanto mejor si llegaban tarde o si arribaban los días festivos. Aumentaban los honorarios. Tarifa doble. El "San Cristóbal" venía cada dos o tres meses. Era verdad que traía auxilios, la correspondencia, periódicos atrasados, petróleo y otros artículos indispensables. Servía para dar una vuelta e inspeccionar las islas. Los habitantes de San Cristóbal eran tipos raros. Gringos barbudos, desharrapados. Suecos, noruegos, otros que no se sabía de dónde venían. Los colonos, descendientes de hampones. Pasaban el tiempo en disputas por quitarse las mujeres. El era juez y parte. A fin de entenderse con los gringos había encontrado un intérprete que hablaba cinco idiomas. A él recurría para que le comprendiesen y meterles en orden.

La isla siempre había sido una patochada. El único macho, ese Manuel Cobos que construyó todo lo que existía; pero lo asesinaron. Trajo paulatinamente más de trescientos colonos. Los puso a trabajar en la tierra. Fundó el poblado de "El Progreso". Llevó ganado, chivos, caballos, pollinos. Hizo sembrar árboles frutales. Llegó a producir 25.000 quintales de azúcar al año y abundante café. Trabajó durante diez años. Remplazó el trapiche de bueyes por máquinas a vapor. Tendió rieles hasta la playa para embarcar los productos. Construyó un muelle. Acuñó moneda de cobre, de forma ovalada, que valía ochenta centavos. Era verdad que había sido un tirano sin escrúpulos. Mataba personalmente a los que se resistían y los arrojaba por el puente. Hacía trabajar a la gente desde las dos de la mañana hasta las diez de la noche. Los jornales, muy bajos, pagados en su propia moneda, la única que circulaba en la isla. No les daba descanso. Tres días al año: Martes de Carnaval, Año Nuevo y el día de su santo. En esos tres días feriados se bailaba por obligación en un chozón mal armado, apenas iluminado por mecheros. Allí se peleaban por las pocas prostitutas que habían ido a radicarse en esa tierra. Muertos, heridos, riñas. Los castigaban con trescientos, cuatrocientos, quinientos palos. Algunos no resistían y terminaban de cadáveres. A otros fusilaba o desterraba a otras islas sin alimentos. Estableció almacenes de provisiones a los precios que le convenían. Los peones ya no aguantaban. Decidieron sublevarse, matar a Cobos, saquear la chacra, jugarse la vida. El ejecutor sería el mayordomo. Los ánimos estaban enardecidos porque iban a hacer un escarmiento con los conspiradores. El señor Cobos salió al despacho con la pierna ulcerada a tenderse en una mecedora de mimbre. El mayordomo le disparó dos tiros, uno en el vientre, el otro en la cara. Cobos, mal herido, se lanzó contra él y le arrojó al suelo. No estaba armado; logró penetrar al dormitorio, pero antes de hacerlo recibió dos machetazos en la cabeza porque los peones, al oír los disparos, se habían congregado dispuestos al asalto. Cobos consiguió cerrar la puerta y comenzó a disparar, pero las armas, enmohecidas, dejaron de funcionar. Los colonos habían atacado el depósito de los rifles del Estado. El señor Cobos, sintiéndose perdido, se lanzó por la ventana y se rompió una pierna. Allí terminaron de matarle. Todos le herían con puñales, con bala, con golpes a mansalva. Mataron también al jefe territorial de un balazo en el cuello. Después se desbordaron. Huyeron en una balandra a Cabo Manglares. Allí las autoridades de Colombia los tomaron presos y los reembarcaron al Ecuador. La isla quedó desmantelada; todos huían de ella. Los que vendrían morirían tarde o temprano. La soledad los ponía como locos. En la guarnición se mataron dos oficiales a tiros, por odio, y otro degolló con un cuchillo a un compañero por una broma desafortunada. El comandante examinó el montón de papeles que reposaban en el escritorio. Oficios del Ministerio. Oficios para fregarle la pita. Recomendaciones para que dé de comer bien a la tropa. Le exigían cuentas de los pagos de los pesqueros. Le transcribían quejas de que vendía mucho ganado, que iba dejando las islas asoladas, que abusaba de los colonos. El haría lo que le viniese en gana. No le importaba que le dieran de baja. Estaba cansado del ejército.

—Teniente Palomino —gritó con todas sus fuerzas—. Teniente Palomino, ¿dónde está la carta de ese doctor alemán medio loco que vive en la Floreana?

El teniente Palomino se puso a rebuscar los papeles como un poseído. No la encontraba, le sudaban los dedos.

—Dése prisa, teniente. No sea pendejo.

153

Por fin la encontró. El comandante Quintanar la leyó apresuradamente.

—Estos gringos están locos. Habla de una baronesa que dispara tiros, que ha matado un burro, que la baronesa bebe trago. Hace bien. ¿Ha oído usted hablar de la baronesa?

—No, mi comandante.

—Debe ser otra gringa turista, de esas un poco desquiciadas que se han establecido en la Floreana. Cuando venga el "San Cristóbal" iré a inspeccionar las islas, a conocer a la baronesa, a conocer al doctor alemán, cuya firma no entiendo. Han pedido concesiones de tierras. Las concesiones pueden proporcionarnos un poco de dinero; con el sueldo no se vive. Si la baronesa ha matado al burro del doctor alemán, como dice en la carta, le clavo una multa. Y si la vieja en realidad es baronesa debe disponer de dinero. No conteste el oficio, teniente. Iremos personalmente. Puede retirarse.

El teniente Palomino se cuadró. Dio media vuelta con otro taconazo y desapareció. Tenía mucho recelo del comandante. No toleraba faltas contra la disciplina. Cuando ordenaba, ordenaba y no quedaba otra alternativa que obedecerle sin tardanzas. La hoja de servicios del teniente Palomino no era muy recomendable. Fue ascendido de tropa porque sabía instruir bien a los soldados, sobre todo en el terreno, pero tuvo la desgracia de meterse en una revuelta por seguir a su jefe. Fracasó el intento. El jefe fue a parar a la cárcel, él se salvó por un pelo por haber obedecido órdenes superiores. Estuvo a punto de ser degradado, pero lo mandaron a Galápagos. No confiaba en los oficiales superiores, al menos cuando pertenecían al Estado Mayor. Siempre andaban en conspiraciones. Prefería los soldados de línea, los que habían sido sus compañeros, sus antiguos camaradas de cuartel, los que a la hora de la verdad presentaban el cuerpo, combatían en las revoluciones. Sin embargo, el comandante Quintanar era buen hombre. Le había visto pelear como un desalmado.

Por la noche, el comandante mandó traer dos botellas de aguardiente y se puso a beber con los dos oficiales y el sargento mayor. Cuando bebía era buena persona el comandante. Gastaba bromas y le gustaba bailar cachullapis. ¿Qué otra cosa les quedaba por hacer? Había que ahogar las penas, olvidar a los hijos, a las mujeres ausentes, olvidarse de esa vida. La paga no les alcanzaba. No había prostitutas, como en otras guarniciones; las guarichas no querían seguir a los soldados. Los cuatro se exaltaron con las copas. El alcohol ponía rijoso al comandante, el aire del mar, el yodo le excitaban.

—Sargento —ordenó—. Vaya a llamar a esa Guillermina. Usted sabe, esa morena que se ha casado tres veces, infringiendo la ley. Hay que establecer sanciones.

El sargento, tambaleándose, se puso de pie; no le hacía gracia dejar la botella.

—Sí, mi comandante. Lo que ordene mi comandante. Me permito decirle, mi comandante, que en Galápagos no hay registros de nacimientos ni de matrimonios, ni de defunciones.

—Carajo. Haga lo que le digo. Si no hay registros tienen obligación de presentarse en la Capitanía.

El sargento se demoró cerca de una hora. Regresó acompañado de una mulata joven, de brazos firmes, piernas musculosas, un poco arqueadas.

—Señores oficiales. Es hora de retirarse —dijo el comandante.

—Buenas noches, mi comandante.

—Buenas noches, señores oficiales.

Quedaron los dos frente a frente. Los ojos de la morena se abrían desmesuradamente. Cambiaba de posturas, angustiada. Le temblaban los pómulos. No se atrevía a hablar. ¿Qué grave falta había cometido para que la llamase el jefe a esa hora?

Por más que pensaba no encontraba el motivo.

Tal vez destiló aguardiente en el alambique sin solicitar licencia; tal vez el Merizalde, otro de sus convivientes, había cometido un crimen. Esperó, atemorizada.

—¿Sabes que has infringido la ley?

—¿Qué he hecho? Tal vez el Merizalde, ya no vivo con él.

—Te has casado tres veces.

—El Merizalde no trabajaba y tuve que dejarle. El Florencio vivía borracho. Tuve que buscar otro.

—Te has casado tres veces sin divorcio, sin informar a la Capitanía. Estabas obligada a comunicar al jefe territorial. O te mando al calabozo o me das...

El comandante estaba autoritario.

Ella comprendió.

Dos meses más tarde llegaba el "San Cristóbal". Traía víveres, sal, arroz y, por si acaso, agua para las otras islas. Los soldados, jubilosos, descargaron los bultos. El comandante, que había perdido jugando al póker con los otros oficiales, ordenó que quedaran quince sacos en el barco. Su mujer le escribía pidiéndole dinero. Necesitaba comprarse un vestido para concurrir a una fiesta en el Círculo Militar. ¡Qué destino tan puerco! El, allí desterrado, y su mujer en fiestas con los otros coroneles. Todo por culpa de aquel diputado.

Después de los saludos reglamentarios con el capitán y de pasar revista a la tripulación del navío, el comandante Quintanar decidió que debía hacer una inspección por el distrito. Habían llegado pasajeros, turistas para la Isabela, para Santa Cruz. Tenía que vender parte del arroz y la sal, cobrar algunos impuestos, visitar la Floreana para cerciorarse de lo que allá ocurría. Llamó al teniente Revelo y le encomendó la tropa. Llevaría cuatro soldados y al teniente Palomino. Nada de contemplaciones. Inspección militar severa, cultivo de patatas y, sobre todo, no permitir que destilen la caña sin pagar la alcabala.

Tres días más tarde el comandante Quintanar, con su uniforme confeccionado en Quito que sacó del baúl: pantalón de montar azul, botas de hule, chaqueta cerrada, galones dorados y gorra con franja amarilla, se embarcó con su comitiva para navegar por las aguas del Pacífico. El barco chapoteaba. Los delfines saltaban y luego se zambullían ondulantes. Las pesadas mantas sobresalían en las olas. Los peces voladores integraban un cortejo. El comandante iba acompañado de Camil Pangal, su traductor de oficio. El no podía entenderse con los gringos, puesto que sólo chapurreaba italiano y requería sus servicios. No se conocía la nacionalidad de Pangal. Unos decían que era polaco; otros, que yugoslavo. Lo mismo daba. Había viajado por el mundo. Había recorrido casi toda Europa, vivido en España, en Manila, en el Irán. Hacía viajes frecuentes a Quito y Guayaquil, poseía una finca en "El Progreso" y permanecía largas temporadas en Santa Cruz. Trescientas cabezas de ganado, pastizales, sembrados de maíz, platanales y caña de azúcar constituían su haber en la isla. Mantenía buenas relaciones con el comandante. Le traía regalos y le relataba los últimos sucesos políticos. El diputado había sido elegido presidente. Intentaba formar una comisión asesora de financistas en vista de que no sabía nada de economía. Pactaba con todos los partidos. La única meta que perseguía era el poder absoluto. A cambio de esos pequeños servicios Pangal no pagaba impuestos. Destilaba aguardiente para vender a los colonos, a la tropa, para llevar a Guayaquil. El negocio marchaba siempre que el jefe estuviese de su parte.

El comandante Quintanar y su séquito llegaron a la Floreana una mañana soleada. La llovizna se había disipado. Las nubes se diluían. Hacía calor. Emprendieron el ascenso con todas las reglas militares. Los soldados, con el fusil en banderola; los jefes con sus espadas envainadas. Pangal, con un cartapacio de papel sellado y otros documentos. La baronesa les esperaba al borde de la cerca. Había visto llegar el "San Cristóbal". Les hizo entrar en la vivienda.

—Viene el comandante Quintanar, jefe territorial del distrito, por el asunto de la concesión de tierras que ustedes han solicitado —dijo Pangal.

—Dígale a su Excelencia que nosotros queremos sesenta hectáreas. Necesitamos tierras suficientes para mantener a los huéspedes de un hotel.

—Dice que es mucho. Usualmente se conceden treinta.

—Dígale que nuestro caso es de excepción. He explicado al noruego Varanger las razones que nos asisten. Que estamos dispuestos a pagar una suma al Estado por estas tierras baldías.

—¿Cuánto pagarían?

—Trescientos sucres.

—Dice que es muy poco, que valen por lo menos quinientos y eso por tratarse de una persona como usted.

—Les daré los cuatrocientos.

Quintanar quedó cavilando.

—Dice que acepta, aunque gasta sólo en papel sellado treinta sucres.

Procedieron a las formalidades del caso. Dejaron constancia en papel estatal, eso sí, sin indicar el monto. Pangal leyó en voz alta y tradujo al alemán. Todos firmaron, inclusive Colvin y Wernolf. La baronesa ordenó que trajeran sendos vasos de whisky y los ofreció a la comitiva.

—Dígale a la baronesa que hay otro asunto.

—¿Qué asunto?

—La muerte del burro. Tenía una queja del doctor Weinhardt y tendría que imponerle una multa, como también cobrar los derechos por portar armas.

La baronesa saltó como un resorte. Se levantó indignada, agitó los brazos.

—El doctor Weinhardt anda desacreditándome. No me perdona que los turistas prefieran venir a "El Paraíso". El asno se despeñó y quieren echarnos la culpa. Siempre es así. Nos mezquina el agua.

—Dice que tendrá que examinar al burro.

—El asno está enterrado. En cuanto a las armas tenemos que defendernos de los perros, matar ganado y cerdos para el sustento.

—Dice el comandante que por tratarse de una dama de su estirpe, que hace servicio social en bien del país, no le exigirá ciertos requisitos y le pregunta si quiere comprar arroz, sal y azúcar.

—¿A qué precio?

—Veinte sucres el quintal.

—Está bien. Lo necesitamos.

La baronesa hizo servir un suculento almuerzo. Extrajo de sus cajones tres botellas de vino, bebieron con prodigalidad. El comandante se puso a hablar en italiano. Relató su permanencia en Europa, sus estudios en Italia. Tocaron el fonógrafo. Bailaron. El comandante mandó a un soldado a traer una guitarra. Rasgó en las cuerdas música autóctona: pasillos, cachullapis, valses costeños. La baronesa estaba embelesada. En un intervalo de la fiesta, y mientras ella bailaba con Camil Pangal, este último le murmuró al oído que portaba una carta confidencial para ella. Los dos se escurrieron por el pasillo. Penetraron en una cámara de la barraca. Le entregó un sobre sellado.

—¿Quién me lo envía?

—El cónsul del Japón en Guayaquil.

No dijo nada y volvieron a incorporarse a la reunión. El comandante, entusiasmado por los andares de la baronesa y por los cabellos rubios que hacía tiempo no veía, dijo a Pangal que la invitara a dar un paseo por las islas. El "San Cristóbal" está a su entera disposición.

—Dice que acepta encantada; pero en compañía del señor Colvin.

—Dígale que no hay inconveniente.

Quedaron en embarcarse al día siguiente; entretanto, ella prepararía su equipaje y lo mandaría al velero.

El comandante pasó a visitar a Gunter Lindemann. Después de una breve discusión les hizo la entrega de veinte hectáreas y les cobró trescientos sucres por derechos de alcabala. Prosiguió su recorrido hasta la finca del doctor Weinhardt. Indagó sobre la cuestión del pollino. El doctor le explicó con detalles el suceso; no se había despeñado, tenía una bala en la cabeza.

—¿Dónde estaba?

—Enterrado.

No obstante ser un oficial cumplidor de su deber, el comandante no disponía de tiempo para abrir la sepultura. En cuanto a la tierra, el profesor se negó rotundamente a celebrar concesiones. El cultivaba un trozo de suelo para su mantenimiento. Despreciaba el

161

dinero, el dinero corrompía a la gente, corrompía a la humanidad. Por ello se había trasladado a aquella isla. La filosofía del profesor impresionó a Pompilio Quintanar. Por primera vez sintió un rezago de remordimientos y decidió dejarle tranquilo.

Al día siguiente dejaba la Floreana en compañía de la baronesa y su amigo. Las velas se hincharon con el viento y el barco navegó entre las olas pardas para abrirse campo entre los acantilados que salían del mar.

El Telégrafo anunciaba que se levantaría un monumento para honrar la memoria del gran naturalista Charles Darwin. La expedición había partido con rumbo a las Galápagos. Transportaba a un grupo de científicos interesados en el estudio de las condiciones de vida de los países suramericanos. El pequeño velero "Golden Gate" venía de San Francisco. El dirigente y promotor era el doctor Wolfgang von Hagen. Los barcos llegaban a las islas y volvían a partir en lontananza. A veces con breves intervalos; otras, con intervalos irregulares de tiempo. La balandra "Santa Inés" había echado anclas en la Floreana. Viajaba un grupo de italianos afanosos de conocer el archipiélago. El capitán H. H. Lundh la pilotaba y los viandantes tenían singular interés en visitar a la baronesa y constatar el extraño retiro que mantenía, entre ellos, uno era periodista. Habían escuchado rumores de que la exiliada vivía fortificada en su refugio, amparada por hombres provistos de ametralladoras que prohibían la entrada a sus dominios. No obstante, estaban tentados a probar su suerte. No abrigaban el más remoto propósito de agredir a nadie, mas si les atacaban se verían precisados a promover su defensa. Echaron a andar por el camino marcado por flechas rojas. Por entonces ya habían retirado el gran letrero con expresiones redundantes de bienvenida. Sólo quedaba uno: " 'El Paraíso', dos horas". Estaban a punto de llegar después de fatigosa caminata, cuando descubrieron una avenida de limoneros y naranjos silvestres. Divisaron una cerca; «avanzan un hombre y una mujer. El viste pantalón azul con tirantes de la misma tela, el dorso desnudo, alto, fuerte, pelo rizoso, bigotes modernos, calza zapatos de goma. Ella, pantalón corto azul, un pañuelo a cuadros anudado a la espalda le cubre el pecho, una cinta sujeta la cabellera rubia y corta». «La casa es de madera, pequeña y coqueta: invadida de cuadros, fotografías, libros, periódicos, en una graciosa mescolanza». Los viajeros expresaron a la baronesa sus extraños temores. Esperaban hallar hombres apostados detrás de los arbustos y dispuestos a disparar sus armas. La baronesa reacciona indignada ante esas versiones que la colocan en un plano de neurasténica y fulmina anatemas contra los propagadores de noticias falsas. En su fuero interno piensa en el doctor. Les invita a comer, alojarse en su vivienda: «En la comida condimentada no se echa de menos nada. El pan, aunque en forma rústica, constituye para nosotros un manjar exquisito». Después del yantar prosiguieron su camino hacia los predios del doctor. Tocaron la campana y esperaron. Tenían que vestirse. Allí estaban los dos en la baranda: «El doctor aparenta tener cuarenta años, pequeño, un poco inclinado a la obesidad, con cara de viejo profesor alemán, totalmente rasurado. Viste pantalón de dril café y camisa de 'sport'. Ella, una melena más corta que la del doctor, de habla simpática y un poco gangosa por carecer de dentadura». Se sentaron a contemplar el panorama. El oleaje batía la peñasquería. Se contemplaba el Cerro de la Paja. Grete les ofreció bananos y agua de limón. Emprendieron el regreso a Playa Prieta. La balandra les esperaba para partir a la Isabela. Otros barcos venían. Estaba anclado el "Mas", pilotado por el capitán Dominich Saro, quien daba la vuelta al mundo. Partiría muy pronto con rumbo a la Polinesia. Ostentaba la divisa de D'Anunzzio: *Memento, Audus, Semper*. Paul Wernolf quedó solo en la chacra abandonada. Le habían dejado allí tirado como gato sin dueño, mientras la baronesa se marchaba con el otro amante. Quedó desconsolado, hecho un trasto humano. No quería comer. No podía dormir. Deambulaba como loco por los rincones apartados. Trepaba por el monte, se lastimaba en las grietas. Descendía a la playa para observar el bajamar, el pleamar, la espuma de las olas, el manto de la escarcha. Volvía a remontarse y se encerraba en la barraca vacía. Las gotas de lluvia golpeaban los maderos. La llovizna taladraba los peñascos. El mar bramaba desafiante con un rumor constante que no paraba ni una hora, ni un minuto, ni un segundo. Echado en el diván de la baronesa, parecía una foca macho sin las hembras. Uno de esos lobos marinos de cuerpos alargados que habían perdido su manada en la isla Plaza. La vejez y la impotencia les había arrojado al fondo del roquerío, en la parte

164

más escarpada de los acantilados, entre los nidos rugosos de la roca basáltica. Allí se revolcaban en las rocas puntiagudas. Peleaban con otros machos. Se arrancaban trozos de carne que les dejaba la piel lacerada. En el otro costado de la isla, el rebaño se movía, pausado, colmado de poder vital. El macho rugía sin cesar con gruñidos entrecortados que expresaban su lenguaje de mando. Nadaba poderoso y vigilaba su prole. Si el lobezno quería preñar a la hembra, ésta también gruñía. El macho avanzaba serpenteando, sin patas, moviendo las aletas, con las cerdas erguidas y amonestaba al lobezno, que se escurría en los riscos. El león macho se arrastraba por los arrecifes, se zambullía en el agua, apoyaba el hocico barbudo en los farallones. Los lomos pardos y negros de los animales se lustraban al sol igual que manchas extendidas en los desniveles de la lava. Así transcurrían los años para la lobería. Tendidos en la orilla, sumergidos para comerse los peces, sumisos ante el más fuerte, hasta que otro viniese y le quitase las hembras. Entonces iría a morir en el cementerio de focas.

El no añoraba a la baronesa, sino a la mujer bacante, la que carcomía sus músculos en su pasión de tuberculoso incurable. Acudió donde los Lindemann.

El hombre le proporcionaba confianza. La mujer le daba jarabes caseros cuando comenzaba a toser.

—Pobre Paul. Todo por la baronesa. Esa mujer era una arpía.

El desfogaba sus rencores, hablaba como un demente. Rememoraba Berlín. Deseaba volver a la tierra. Refugiarse en un lugar habitado, abandonar la isla. Tendría que hablar con Divo o Varanger. Lo de la clave le tenía sin cuidado. Para él no existía. Estuvo tentado a forzar el baúl; pero no se atrevía. Significaba delatarse, morir asesinado, perder toda esperanza de salir del destierro.

Lindemann comprendió que se le presentaba la única oportunidad de registrar el cofre. Su mujer se encargaría de retener a Wernolf que desde tiempo atrás pasaba todo el día en la casa. Aprovechó sus ausencias para introducirse en la alcoba de la baronesa. Probó todas las llaves que le quedaban, mas ninguna servía. Intentó mover la chapa con una palanca, pero estaba reforzada y no cabía romperla. Una de las llaves ajustaba en la cerradura; pero no la abría. Quizá era posible limarla, limarla con un yunque al fuego. Después de cuatro o cinco ensayos el cerrojo cedió. Era menester proceder con cautela. No tenía prisa. Previno a Matilde para que preparase una comida especial; salchichas vienesas, pollo asado y ensalada de patatas. El iría a la playa a recoger pescado y llegaría demorado. El día convenido penetró en el aposento e hizo girar la llave, y con manos trémulas destapó el baúl. Un ajuar de vestidos caros, abrigos de piel y otras prendas valiosas aparecieron ante sus ojos. Las fue retirando con cuidado y colocándolas en la cama. Encontró un cofre de metal; pero estaba cerrado. Halló la llave entre los repliegues de la tela y cuando lo abrió quedó deslumbrado. Contenía varios collares de perlas, pendientes, colgaduras de diamantes, esmeraldas, aguamarinas. Representaban una fortuna y las examinó con codicia. Nunca se imaginó que la baronesa fuese dueña de joyas de tanto valor. Siguió registrando con sigilo. No encontró lo que buscaba. No había papeles ni cuadernos; sólo prendas personales. Desalentado, colocó cada cosa en su sitio, procurando no equivocarse. Matilde, por su parte, registró también todos los recovecos, hasta desfondó los colchones. Todo fue inútil. Decidieron no insistir.

IX
FBI

UN YATE de cuatro velas llegó a San Cristóbal. Era el velero "Every Day". Cuatro hombres bajaron y preguntaron por el jefe territorial. Le entregaron un oficio del Ministerio de Guerra, transcrito por la Embajada de Estados Unidos. El comandante Quintanar lo leyó intrigado. Otra vez los gringos venían a importunarle. La orden carecía de importancia.

—¿Cuántos soldados necesitan ustedes?

—Nos bastan dos.

—¿Tiene alguna misión confidencial que cumplir?

—No, somos periodistas. Hemos venido a visitar las islas. Pretendemos no tener dificultades con los penados ni con la baronesa.

—La baronesa es una mujer muy culta. Acabo de efectuar una travesía con ella. Propagan rumores falsos. No tendrán dificultades.

—De todas maneras, sería mejor...

—No tengo inconveniente. Son órdenes del Ministerio.

Pensó que se disminuiría el rancho de los soldados. Si fuera por él, les entregaba la guarnición.

Pauling, Tompkins, Manly, Campbell y los soldados, bien apertrechados, se embarcaron con rumbo a la Floreana.

La baronesa había regresado muy satisfecha de su paseo por las islas. El estanque de aguas claras, el cementerio de focas, la bahía de la Tortuga, los peñones, los mástiles destrozados, todo ese conjunto de hombre, mar y animales estrambóticos distrajo la navegación matizada de inolvidables recuerdos. Sin embargo, venía preocupada por haber permanecido ausente más tiempo de lo proyectado. Debía comunicarse con Guayaquil. Durante la travesía, Pangel, en contraposición de lo que había esperado, no hizo la más leve alusión al sobre que le entregara. Había leído el contenido antes de partir. Estaba escrito en clave, y decía: «Mensajes han sido interceptados. No volveremos a enviar pesqueros. Comuníquese directamente con Guayaquil. Antena emisora receptora, onda corta. Número de llamada F.R.S. Indicativo: Acapulco. Americanos sospechan. Atención código». Ellos no habían cometido ninguna imprudencia. Cumplieron estrictamente las instrucciones impartidas por sus enlaces. Había un soplón en la isla y no podía ser otro que el odioso doctor Weinhardt. Estarían obligados a redoblar las precauciones, montar guardia, inventar un sistema para despistar a los delatores. Desde la noche siguiente, los habitantes de la Floreana advirtieron que las luces de la casa de la baronesa permanecían encendidas hasta el amanecer. Escucharon ruidos: golpes de hacha, movimientos de cajones que se arrastraban por el suelo, disparos. Poco a poco el barullo fue disminuyendo. Los Lindemann, que estaban en la parte alta, podían atisbar sin ser vistos lo que ocurría en la barraca. No vieron a personas extrañas. Tres siluetas se turnaban en faenas inexplicables.

Cuando llegaron los periodistas, Pauling fue donde la baronesa. Manly y Campbell, a casa del doctor, y Tompkins, a visitar a los Lindemann. Todos se presentaron como reporteros norteamericanos. Cuando Tompkins tuvo la ocasión apropiada, llevó a Gunter Lindemann colina arriba y le habló sin rodeos.

—Vengo de parte del capitán Albert Funk. Somos cuatro agentes del FBI. El capitán desea saber si usted ha obtenido la clave.

—La clave otra vez —pensó—. Mi mujer y yo hemos buscado por los sitios más ocultos. Hemos aprovechado la ausencia de la baronesa para abrir el baúl y registrar toda la ropa y demás objetos. No la encontramos en ninguna parte. Me temo que no exista. A no ser que la tenga enterrada en una roca. En ese caso...

—Lo que deseaba saber es si usted tiene indicios de la clave. Presumimos que no la había encontrado y por eso hemos venido. Sabemos que el código existe, puesto que hemos interceptado las llamadas. No se trata de signos comunes en vista de que no hemos podido descifrarlos; se trata de una clave de suma importancia, cuidadosamente elaborada, indispensable para el Servicio Secreto de Estados Unidos y también para el contraespionaje del ejército alemán. El almirante Canaris colabora con nosotros porque está con-

171

vencido de que la paz del mundo está en peligro. Sabemos que el Japón prepara la guerra contra Estados Unidos y entre sus planes consta un ataque al Canal de Panamá. Hitler también se alista para invadir Europa. El Pentágono y el almirante por su cuenta y en calidad de dirigente de un movimiento subterráneo estiman que si obtenemos una de estas claves fundamentales estaremos en condiciones de contrarrestar los planes del Japón y acaso detener a Hitler. En el arte de la guerra, prever es más importante que ganar una batalla. Un plan mancomunado y con pruebas podría sacar de la inercia a las otras potencias, que confían demasiado en las conferencias y concesiones pacíficas. Nuestra misión es decisiva; tenemos instrucciones de dejar aclarado este asunto.

—¿Y qué medios van a utilizar?

—No lo sabemos de momento. Tendremos que estudiarlos en el terreno y de acuerdo con las circunstancias. Por lo pronto, uno de mis colegas y yo iremos donde la baronesa, los otros dos pedirán hospedaje al doctor Weinhardt. Presumimos que seremos bien recibidos. Hemos traído suficientes obsequios que nos ayudarán. Usted colaborará con nosotros si fuera necesario. De lo contrario, permanecerá al margen. Si ocurre alguna cosa imprevista, quedaría usted al descubierto, lo que no nos conviene. Asumiremos todas las responsabilidades.

Lindemann no respondió. No se atrevía a opinar. ¿De qué recursos se iban a valer esos señores del FBI para encontrar una aguja en un pajar? ¿Pensaban remover toda la tierra de los alrededores?

—Hay otra cuestión —prosiguió Tompkins—. Hemos descubierto una emisora clandestina en Tobago. Los agentes están presos. Los expulsaremos sin sanciones para evitarnos dificultades con el gobierno y porque así nos aconseja el almirante Canaris. No hemos conseguido obtener declaraciones. Presumimos que se comunicaban con las Galápagos, con Costa Rica y otros lugares de Centroamérica y que son agentes del Servicio de Inteligencia nazi. Sospechamos que otro de los agentes es el doctor Weinhardt. ¿Ha observado usted alguna actitud anormal o sospechosa en el profesor?

Lindemann recordó sus instrucciones. Permaneció un buen rato meditando.

—No —exclamó—. No he observado nada que pudiera comprometer al doctor. Sale poco de la finca, pasa su tiempo escribiendo un Tratado de Filosofía y otros artículos científicos que envía a los periódicos.

—¿Y su compañera?

—Atiende los quehaceres domésticos. Ultimamente le ha dado por caminar sin rumbo por los parajes apartados. Parece que no se lleva muy bien con el doctor. Es muy arrogante, al menos con nosotros. Probablemente no le caemos bien.

—Habrá que comprobar —dijo Tompkins—, si necesitamos sus servicios o una información vendremos a buscarle y usted encontrará una excusa para reunirse a solas conmigo.

La baronesa, recostada con las piernas desnudas, platicaba con los visitantes, en tanto Wernolf servía té.

—¿De modo que ustedes son periodistas? Yo admiro a los periodistas. Han venido muchos a informarse de la vida que llevamos. Las revistas norteamericanas y de otras partes del mundo se han ocupado de nosotros. No llegan a imaginarse que se pueda vivir en una isla desierta sin que nos falte nada. Aquí tenemos sosiego, una existencia patriarcal entre animales antediluvianos y una naturaleza que no se encuentra en otros lugares del planeta. ¿Cuántos son ustedes?

—Cuatro periodistas y dos soldados.

—¿Para qué han traído los soldados?

—Porque nos dijeron que ustedes habían montado un fuerte y no dejaban entrar a los visitantes.

Rieron.

—Noticias tendenciosas. Calumnias del doctor Weinhardt, que no me perdona haber venido, como si la isla fuese de su exclusiva propiedad. ¿Dónde están los compañeros de ustedes?

—Donde el doctor Weinhardt. Querían conocerle.

—Supongo que todos se hospedarán en mi casa.

—Todos, no. Sería molestarla demasiado; pero podemos alojarnos dos aquí. Los otros se arreglarán a su manera.

—¿Cuánto tiempo piensan quedarse?

—Tal vez una semana.

—Para nosotros es una satisfacción tener huéspedes. Ustedes, que son los hombres de las noticias, ¿qué nuevas nos traen, qué pasa en el mundo? ¿Qué sucede en Austria?

174

—Dollfus ha disuelto el Parlamento. Los socialistas y los católicos no logran entenderse. El Partido Comunista está fuera de la ley. Impera una dictadura que controla la prensa y prohíbe las asambleas políticas. El Partido Nazi ha sido declarado ilegal. Los obreros han promovido insurrecciones y disturbios; se les ha sometido por la fuerza después de una lucha sangrienta con más de trescientos muertos y otros tantos heridos. La dictadura presenta tendencias definitivamente católicas basadas en la doctrina social de las encíclicas *Rerum novarum* y *Quadragesimo anno*; se inclina también a los principios del fascismo. Por otra parte, el nazismo realiza una extraordinaria propaganda e invierte grandes sumas de dinero para infiltrarse e intentar en el futuro una anexión a Alemania.

—Lamentable situación. Por lo visto, todo anda mal en Europa.

Pauling y Tompkins siguieron hablando sobre lo que ocurría en Francia, en Italia, en Alemania. Posiblemente, la baronesa y Colvin estaban tan enterados como ellos.

Fumaban sin descanso. Las cenizas caían al suelo o a los ceniceros. Observaban a su derredor. La preocupación les sobresaltaba. La dueña de la casa parecía una mujer inteligente, hábil, astuta. Poseía un singular atractivo a pesar de sus años. ¿Estarían en condiciones de cumplir su misión y ganarles la partida? Nadie podía dar una respuesta. Eran los mejores agentes del FBI aunque sus actividades se hubiesen desarrollado en un escenario muy diferente.

175

—Les acomodaremos en esta habitación. Paul, prepara las camas y pon sábanas y unas mantas para estos señores.

El día estaba opaco, con un colorido gris que adelantaba las horas. Las gallinas corrían, saltaban en los palos del gallinero alzando sus alas pintadas. Dos jumentos se hundían en un fango barroso y superficial, donde crecía la hierba enana. Wernolf les seguía a distancia. Huraño, desconfiado, examinaba a los transeúntes. Periodistas demasiado macizos, de estatura poco común. Tosió y escupió en el suelo. Caminaron por el valle de las Vertientes. Regresaron amortiguados por la brisa salina. Fueron al dormitorio para desocupar sus maletas de lona y rociarse el rostro, las manos, con agua fresca. En la terraza encontraron unas revistas y una botella de whisky. Bebieron dos vasos con el licor diluido y se sintieron relajados.

El doctor Weinhardt estaba aquel día de buen talante cuando llegaron Manly y Campbell. Después de las presentaciones de rigor se puso a explicarles sus nuevas teorías filosóficas. Preparaba un libro. No era una conversación; era una conferencia. Se explayaba erudito en sus conceptos y en sus teorías. Grete, que se había colocado una blusa y que en materias filosóficas se mostraba elocuente, terció en la plática. Hacía tiempo que no hablaba o, mejor dicho, hablaba muy poco con el doctor. La venida de los norteamericanos la sacaba de su aislamiento. La regresaba a un mundo que comenzaba a olvidar. Hombres interesantes esos norteamericanos, de contextura atlética y facciones

176

varoniles. Campbell y Manly no interrumpieron al doctor. Escuchaban sin entender bien lo que decía. Sus pensamientos vagaban por otros derroteros. Cuando el doctor terminó, Manly creyó llegado el momento de intervenir.

—Todo lo que nos ha explicado es muy interesante, profesor. Es necesaria una gran cultura para seguir en detalle sus puntos de vista. Hemos oído hablar de ustedes y de sus estudios y para conocerle estamos aquí y, si es posible, para que nos conceda hospitalidad por pocos días. Somos cuatro. Los otros han ido donde la baronesa Von Rath.

El nombre de la baronesa irritó al doctor, que quedó confundido, pero no hizo comentarios. Llevó la mano a la cabeza, se frotó las mejillas, miró hacia las cajas de comestibles y ropa que le habían traído los visitantes.

—Si se avienen a dormir en el pasillo. Hace frío en esta época del año.

—Les proveeremos de mantas y, si es necesario, encenderemos fuego.

—Está bien. El yate que nos trajo debe estar navegando; fue a dejar a otros pasajeros. Estimamos que volverá después de cinco o seis días. Profesor, desearíamos conocer su modo de pensar sobre los últimos acontecimientos ocurridos en Alemania. ¿Está usted de acuerdo con el triunfo del nazismo, con las teorías de Hitler, con el curso que están tomando los sucesos en Italia frente a la democracia?

—Yo no intervengo en política. He venido a este lugar del mundo justamente para mantenerme al mar-

177

gen de lo que pasa en Europa. He venido a escribir, a concentrarme en mí mismo. Sin embargo, ante todo soy alemán.

—¿Querría usted explicarnos lo que quiere decir con que ante todo es alemán?

—Quiero decir que estoy con Alemania, su prosperidad y grandeza dondequiera que me encuentre.

—¿Aun en el supuesto caso de que se intente destruir las democracias?

—Como les digo, no soy político y mi opinión no tiene valor. Pero estaré siempre con Alemania en la posición que se encuentre.

—Comprendemos —dijo Manly—. Es una posición nacionalista, muy propia de la raza alemana.

—No sólo de la raza alemana, sino de todas las razas. Yo no censuro a los alemanes que quieran recuperar sus derechos, que quieran sacudirse del yugo de Europa impuesto en el funesto Tratado de Versalles.

—¿Considera usted que esta situación podría producir un nuevo conflicto bélico?

—No soy la persona apropiada para opinar al respecto. Mas temo que si Europa no hace ciertas concesiones a Alemania, existe la posibilidad de una guerra. Todo depende del comportamiento de los otros países con relación a Alemania.

El doctor había meditado sus respuestas. Esos señores norteamericanos y periodistas tenían que convencerse de que el mundo había sido injusto con su pueblo. Las cosas no podían continuar indefinidamente como estaban. Acaso sus palabras —si las repetían— servirían para abrir los ojos a Estados

Unidos y hacerles comprender que los problemas europeos debían ventilarse en Europa. Sus pensamientos íntimos giraban en torno a otras concepciones básicas y de mayores alcances, que nunca dejaría traslucir y que ellos no llegarían a entenderle. Para él la democracia era el sepulcro de los pueblos que aspiraban al progreso.

En vista de que la conversación se tornaba vidriosa, los norteamericanos callaron. El doctor Weinhardt era un alemán ciento por ciento, como todos los alemanes. Sería inútil lavarle el cerebro para conducirle por los canales democráticos ni extraerle sus pensamientos íntimos. No sería improbable que estuviese al servicio del nazismo. Mas, había venido hacía algunos años, en 1929, cuando el partido aún no constituía una fuerza de verdadera importancia. Este antecedente le ponía a salvo hasta cierto punto, aun cuando no descartasen la posibilidad de un entendimiento posterior con los dirigentes nazis del Servicio de Información. Estaban allí para investigar dentro de la teoría de las relatividades y dispuestos a proceder con la máxima eficacia.

Manly y Campbell durmieron bien. El frío de la noche no les afectó. Encendieron fuego. Temprano, Manly se remontó por los alrededores, observó el terreno, se inclinó entre las hendiduras de las rocas, se perdió en el helechal, buscó las atalayas para contemplar la crestería. El profesor bajó a la hora de costumbre a tomar su baño. Grete quedó conversando con Campbell mientras desayunaban papaya y café caliente. Cuando regresó Manly, Grete les invitó a ir a la playa. Manly aceptó. Campbell dijo que prefería quedarse en la chacra para escribir apuntes. Descendieron por el laberinto de los cascajos. Los cangrejos colorados pululaban con sus patas saltonas. Era un movimiento constante de manchas rojas en los bloques oscuros. Campbell penetró en el *bungalow*. Miró los tabiques y la tela metálica, rebuscó los libros, revisó los papeles, dio vuelta por la empalizada, palpó los troncos entrelazados, observó la techumbre.

Pauling y Tompkins se alejaron por el monte. Bruscamente tropezaron con un toro negro que se plantó en el camino. Los dos retrocedieron, el toro se alejó. Igual cosa les sucedió con dos perros negros que parecían lobos. Gruñeron y se marcharon. No encontraron galápagos, pero sí gatos que maullaban.

—Si tiene la llave en el pecho y no la abandona nunca, sus razones tendrá —dijo Pauling—. Para mí el baúl es lo más importante.

—Lindemann dice que lo ha registrado minuciosamente —dijo Tompkins.

—No importa. Habrá que volver a registrarlo. Me encargaré yo —dijo Pauling.

—Bien.

—Tendrán que dejarme solo un buen rato.

—Pediremos a la baronesa que nos lleve al otro costado de la isla, al Cerro de las Monturas, según el plano. Tú te quedas con un pretexto.

—¿Y ese Wernolf?

—Es verdad. Recurriremos a Lindemann para que lo retenga. Vamos para allá.

Voltearon para enfilar hacia "El Paraíso" y subir el graderío sin ser vistos. Lindemann cultivaba el maíz, el hijo roturaba la tierra, la mujer regaba la semilla.

—Un paisaje bíblico —dijo Tompkins mientras encendía un cigarrillo.

El cuerpo pesado, casi obeso, las cejas pobladas, la cabeza de pelos ralos, la mirada atenta. Lindemann salió a recibirles. Las líneas angulosas de su pecho, cubiertas por una camisa oscura manchada de tierra, le daban la imagen de un granjero sufrido. No tenía aspecto de un exsargento del ejército alemán. El servicio sabía escoger su personal. Nadie dudaría de él.

—Si usted no tiene inconveniente, apreciaríamos que trajera a Wernolf a su casa esta tarde y lo retuviera por lo menos un par de horas.

—Lo intentaré. ¿A qué hora?

—Calculamos que a partir de las tres de la tarde. Usted podrá observarnos desde aquí cuando dejemos "El Paraíso".

—Conforme. Mandaré a mi hijo a buscarle.

Regresaron un poco antes de la hora de comer. La baronesa, con pantalones cortos y una blusa ligera, se preocupaba de los últimos detalles de la mesa. Había puesto flores y colocado dos botellas de vino y copas de la cristalería traída de París. Colvin le ayudaba. A veces se tomaban la mano y él sonreía con una mueca estúpida.

—Baronesa —dijo Pauling—, tenemos interés en conocer el otro lado de la isla, el Cerro de las Monturas. ¿Podrían ustedes acompañarnos esta tarde?

—Pensé que habían caminado lo suficiente y proyectaba un paseo para visitar las Cuevas de los Piratas.

—Dejemos eso para mañana. Más nos interesa darnos cuenta de la configuración de la isla.

—Está bien. Si así lo desean.

Durante la comida, la baronesa les explicó el supuesto origen de las Galápagos. Unos decían que eran de naturaleza volcánica; otros, que eran fragmentos de continente. Ella se inclinaba por la primera teoría. Les habló de los piratas, de los balleneros, de los primeros colonos y los presidiarios que vinieron luego. Islas Encantadas donde el hombre no se afincaba. Después de la comida, Pauling manifestó que se encontraba un poco indispuesto y que se retiraría a reposar.

—Dejaremos la excursión para otro día —exclamó la baronesa.

Tompkins no respondió. Continuaron la sobremesa y bebieron coñac. Tompkins pidió permiso para acompañar a su amigo. No demoró mucho tiempo.

—Dice que está bien. Que podemos emprender la marcha y que nos seguirá en breves momentos. En todo caso, le esperaremos en el camino; el soldado le acompañará.

—Si es así, será mejor ponernos en marcha cuanto antes.

Tan pronto como salieron, Pauling se incorporó y constató que no hubiera nadie en la barraca. Dio dos o tres vueltas. Atisbó por la ventana. Entró a la habitación de la baronesa. Extrajo una llave maestra y abrió el baúl sin dificultad. Lo examinó por todos los costados, palpó las fibras que recubrían la caja. Volvió a cerrarlo y le dio la vuelta. Aplicó el oído, lo presionó con los dedos. A pesar de su experiencia de agente avezado, las manos le traicionaban. Procuró serenarse. Lances más arriesgados había superado en su larga carrera profesional. Tanteó nuevamente la parte baja y sonrió. "Está bien", pensó. Disponíase a abrirlo cuando creyó escuchar el rumor de pisadas. Debía ser una alucinación de su mente en tensión. En todo caso, no arriesgaría. Dejó caer el cofre, se deslizó a su habitación y se tendió en la cama. Dejó que pasara un tiempo. Luego se levantó y entró en la cocina. De pie, igual que un espíritu aparecido de otro planeta, estaba Wernolf. Los labios apretados, las greñas caídas en la frente, las pupilas afiebradas, la camisa descolorida.

—Me siento mal y deseo beber un poco de agua fresca.

El hombre retorció el cuerpo como si fuese un acróbata, movió un brazo en el aire haciendo una pirueta, alcanzó un vaso de porcelana despostillada y se acercó a un tanque de lata que yacía en un rincón.

—Aquí tiene.

—No he podido ir a la excursión porque me sentía enfermo. La carne..., la carne de cerdo me ha producido vómitos. Siento que me arden las tripas.

El hombre no contestó. Seguía metiendo los platos en una cuba y luego los secaba con un trozo de lienzo amarillento. Se inclinaba como si sufriese de lumbago. Puso los platos en orden. Recogió los cuchillos y los tenedores y desapareció como un fantasma.

Pauling y Tompkins fueron a buscar a sus compañeros. Los cuatro se congregaron bajo el cobijo de los tamarindos, hablaban en voz baja.

—La cosa es sencilla —dijo Pauling.

—Explícate —dijeron todos.

—Sólo falta confirmar. Ayer por poco lo consigo; pero apareció ese maldito Wernolf.

Los tres le rodearon impacientes.

—Es sencillo —repitió Pauling—. Es una obra maestra de confección. El baúl tiene un pequeño doble fondo imperceptible. Es necesario destornillar las ranuras.

—¿Por qué no ha guardado allí las joyas?

—Porque las joyas, por mucho valor que tengan, valen menos que una clave. Forzar la cerradura y llevarse las joyas habría sido un indicio de que hay personas interesadas en realizar pesquisas. En una isla donde habitan ocho personas ninguna quedaba con vida si consideramos la calidad de los protagonistas y la lucha subterránea que aquí se desarrolla. El código está en el baúl.

—Es necesario proceder a desarmar el doble fondo —dijo Tompkins.

—De acuerdo.

—¿Quién lo hará?

—Yo no estoy en condiciones de intentarlo —dijo Pauling—. Mi permanencia en la barraca por segunda vez despertaría sospechas. Creo que tienes que hacerlo tú, Campbell. Un largo retraso de una persona que está alojada en casa del doctor no será tan notoria como mi ausencia.

—Nadie dice lo contrario —exclamó Manly—. Campbell se encargará del asunto.

—No tenemos nada qué objetar —dijo Tompkins—. Hace falta determinar la parte más importante de la cuestión. ¿De qué recurso nos valdremos para estar ausentes medio día o más si las circunstancias lo requieren?

—¿Qué les parece si organizamos una cacería? —dijo Manly.

—Estupenda idea si la baronesa y sus acompañantes se manifiestan dispuestos a colaborar.

—La baronesa es muy aficionada a cazar y vive matando animales por el placer de hacerlo. No tendrá inconveniente. Todos iremos, menos Campbell. Un soldado le esperará y le conducirá al lugar donde estemos concentrados. Retardaremos tanto como sea posible el tiempo de llegar a las cumbres; caminaremos despacio. No es anormal que un grupo de periodistas se cansen en este género de andanzas a las cuales no están acostumbrados.

—Hay otro problema —dijo Tompkins—. ¿Qué hacemos con ese Wernolf? Por lo visto nunca abandona la casa sino por breves momentos. El hizo fracasar el trabajo de Pauling, a pesar de que tomamos las precauciones del caso.

Hubo un prolongado silencio.

—Diremos a la baronesa que le necesitamos para cargar los trozos de los verracos en el lomo de los asnos. Los dos soldados no bastan.

—Estoy seguro de que le llevará para cocinar la comida.

—Voy a comisionar a uno de los soldados y a Lindemann para que no lo desamparen ni lo dejen solo en ninguna circunstancia —dijo Tompkins.

—¿Cuándo realizaríamos la cacería si las cosas salen bien?

—Pasado mañana. Lindemann o la baronesa nos proporcionarán armas. Tienen un arsenal.

—Los soldados llevan "Mausers". Nosotros nos contentaremos con carabinas. Remontado en el Cerro de la Paja hay mucho ganado salvaje, cerdos y patos; emplearemos más de media jornada para terminar la cacería. El yate regresa después de tres días. Si no hay situaciones adversas nos embarcaremos sin dejar rastro.

Pauling y Tompkins regresaron a "El Paraíso". A la hora de cenar, y después de haber tomado algunos aperitivos, expusieron su proyecto.

—Baronesa, hemos planeado efectuar una cacería y por ese motivo vinieron los soldados. Necesitamos carne para la travesía, que será larga. Abrigábamos la esperanza de obtener galápagos, cuya carne no hemos probado; pero parece que no se los encuentra puesto que por lo visto no queda ninguno.

—Nosotros los hallamos una sola vez. Están extinguidos o andan muy escondidos.

—Nos contentaremos con carne de res y de cerdo. ¿Tienen ustedes inconveniente en acompañarnos?

—Nos encanta la cacería. Es el programa turístico predilecto para todos los visitantes de la isla. Estábamos a punto de proponerles lo mismo. ¿Cuándo quieren ustedes que vayamos?

—Pasado mañana, puesto que habrá que preparar las armas y los alimentos.

—Comeremos carne asada en parrilla en el monte, si no llueve. De todas maneras, llevaremos una carpa. Wernolf se encargará de montarla.

—Gracias, baronesa. Para nosotros constituye una expansión emocionante. En Estados Unidos no es fácil tener la oportunidad de ejercitar este género de deportes.

La caravana avanzaba en la gradiente de suelo impermeable, tropezaba con las piedras pardas, esquivaba los guijarros. La baronesa, con pantalón de montar y botas largas, poncho de lana, el rostro oculto por un sombrero de paja toquilla fabricado en Monte Cristi. Los norteamericanos, con pantalones de colores, chaquetas de cuero, cascos de cazadores africanos. Atrás, Lindemann, Wernolf, los jumentos que transportaban fiambres y las carpas. Un soldado junto a ellos. El uniforme, plomizo, manchado de barro, la gorra flexible, el fusil sostenido por el correaje y la cartuchera. El otro esperaba en un punto determinado. El cielo, con bruma blanca, opaca, sucia. Ladraban los perros domesticados. Perros blancos con bocetos negros. Perros negros con hocicos encarnados. Perros de piel lanuda. Perros que daban vueltas en la maleza, apuntaban con las orejas, retorcían las patas, alargaban las narices exultantes. Los burros andaban a paso cansino empujados por Wernolf, y de vez en cuando el soldado les daba un culatazo en el

187

anca. Subían hacia la pampa del cerro, donde se escondían los animales y se perdían entre los chaparros, los helechos gigantes y las hondonadas rocosas. Atrás habían quedado los rezagos de tierra laborada donde se arraigaban frondosos aguacatales, los naranjales, los chirimoyos y los ciruelos, restos de colonizaciones fenecidas, abonados por el calcio de los huesos de toros envejecidos y verracos muertos de sed. Pertenecieron a la colonización del general Villamil y, más tarde, a la de José de Valdizán, quien también fue a buscar la orchilla que crecía espontánea en el piso y entre los arbustos. Servía para obtener tintura para colorear los paños, muy cotizada entonces. Los terrenos se alinderaron con cercas de alambre o con zanjas cavadas en los costados, se levantaron bohíos, progresaron las faenas agrícolas, marchaba boyante la explotación. Hacían falta más brazos para luchar contra la virginidad de los parajes monteses que rompían los machetes y devoraban los espíritus en la locura del confinamiento. Durante ocho años todo andaba bien; pero trajeron hombres patibularios que salieron de las cárceles y entre ellos a un tal Lucas Alvarado. El encierro les desquiciaba, les quemaba las sienes, les roía el alma, despertaba sus instintos primitivos y convinieron en sublevarse, en acabar con todo de una vez. Alvarado, con un cuchillo afilado, dio una puñalada a Valdizán. Valdizán acababa de ofrecerle una copa de aguardiente de caña y se inclinaba para guardar el resto. El patrón, moribundo, igual que una bestia mal herida, se arrastró para morir solo a campo traviesa. Comenzó la masacre, muertos a machetazos, a bala, muertos a navajazos. El capitán Tomás Lewis, un inglés corajudo, rejuntó a los hombres fieles y aplastó a los asesinos. La isla volvió a quedar deshabitada. El único que retornaría a rondar por ella sería el capitán Lewis. Decían que era descendiente del pirata Brown, que conocía los secretos de la Floreana, el sitio donde alguna vez y en épocas remotas enterraron los corsarios los lingotes de oro robados de los veleros de España. Decían que antes de morir legó el secreto a su hijo. Decían que fue a buscarlos y le asesinaron sus propios compañeros en desenfreno de codicia. El capitán regresaría más tarde en pos del oro. Los marineros susurraban que cavó los huecos, desenterró los lingotes, que fue a venderlos en Guayaquil. Por ello quedaban fosas abiertas entre las cuevas donde se alojaron los piratas errabundos.

La caravana prosiguió la marcha hasta que llegó a la planicie, que se ondulaba suavemente entre los montículos. La hierba crecía lujuriosa con tallos fibrosos, delimitada por las rocas. La caravana se detuvo para reposar. Wernolf, auxiliado por el soldado, bajó la carpa del lomo del pollino y se puso a armarla en un recodo. Las lonas se enredaban, los repliegues se confundían, las cuerdas se cruzaban. Los asnos comieron y se tendieron a dormir la siesta. La llovizna se había diluido y un sol nonato trataba de aparecer entre las nubes. Wernolf corría de un sitio a otro, daba saltos como una liebre, se le caían los pantalones enlodados, la chaqueta de cuero importada de Alemania le llegaba a la cintura. Extendía los brazos para alcanzar las ensambladuras, movía los brazos y las piernas como un muñeco de cuerda. Lindemann recogía leña humedecida para encender una fogata que no se prendía. El viento lanzaba latigazos que lastimaban la epidermis del rostro, la nariz y las orejas. Poco a poco y ayudados por la técnica del soldado la carpa quedó levantada.

—Estacas. Estacas para sujetarla —gritó Wernolf.

Desapareció como un bólido y se perdió en el matorral. Corría como un ternero maltón perseguido por los perros hambrientos. Daba brincos en los resquicios, esquivaba los cactus, saltaba la pendiente tan veloz que nadie le veía. El corazón se le paralizaba y frenó unos instantes. La tos le convulsionó y arrojó una flema sanguinolenta. Los mocos le chorreaban y le atascaban la boca. Las piernas le flaqueaban y se le hinchaban los pómulos. Descansó otro momento y volvió a correr de estampía. ¿Dónde estaba? No lo sabía, puesto que había perdido la noción de los kilómetros y las distancias. Bajaba tambaleante por las trochas abiertas por los galápagos y los burros que habían estudiado ingeniería. Por fin divisó el tejado de cinc de la casa. Dio dos o tres saltos de acróbata de circo en la cuerda floja y se confundió con los troncos, con las paredes, con los flancos del terreno; se levantó en el aire como un espíritu maligno o como un arcángel de la guardia arrojado del otro Paraíso.

George Campbell calculó mal el tiempo que emplearía en llegar a "El Paraíso" y perdió un cuarto de hora. El retraso quebrantaba más sus nervios en tensión. Caminaba de prisa, a pasos agigantados. Absorbía el aire tajante, miraba el reloj. Más de una hora de marcha por chaquiñales a los cuales no estaba habituado. Sabía manejar un coche a velocidades extremas, girar curvas vertiginosamente, disparar tendido, disparar parado, disparar de costado; pero no sabía andar por esa tierra pedregosa, por esas aristas que le picaban las piernas, por ese suelo resbaladizo y traicionero. Intentaba brincar y se incrustaba entre las piedras. El viento acribillaba sus mejillas. La llovizna, fina como agujas de hielo, empapaba su cabeza. Miraba el reloj y aceleraba la marcha. El tiempo, una eternidad igual que el cielo o el infierno. Le daba la impresión de que no avanzaba, de que no llegaría nunca. Divisó la casa. Disminuyó el ritmo, se ajustó la chaqueta, se pasó las manos por el pelo y se dispuso a entrar en el plantío como si fuese a visitar a uno de sus colegas. La casa parecía vacía. Al menos no vio en su derredor ninguna señal de vida. Las sillas de la baranda, humedecidas, la cancela entreabierta, un abandono absoluto; sólo las gallinas picoteaban en el suelo. A paso lento penetró en la barraca. No la había visitado antes, pero sus colegas le explicaron su sencilla estructura. Fue directamente a la habitación de la derecha. No había razón para confundirse. Allí estaba el lecho de dosel de la baronesa con el mosquitero corrido, el gran espejo dorado traído de París, las cremas desparramadas en la consola, una ventana pequeña a un costado cubierta con tela metálica y a la izquierda el cofre negro, el baúl de camarote que había viajado en tantos navíos y cruzado muchos mares del orbe. George Campbell salió de la pequeña alcoba y dio una vuelta por los interiores. No vio a nadie ni escuchó ningún rumor. Retornó al aposento y con la misma llave de Pauling destapó el baúl. Lo examinó rápidamente. Prescindió del contenido y se puso a destornillar las ranuras del fondo. Tomaba tiempo ese trabajo, más de lo que había calculado; los tornillos eran pequeños y estaban bien roscados. Poco a poco y con paciencia los fue poniendo de lado. El sudor le empapaba la frente, las ingles, los dedos de los pies. Terminó de abrir el doble fondo y aparecieron un montón de papeles: sobres, planos enrollados, circunferencias trazadas en cartones y, finalmente, un cuaderno con cifras y puntos, puntos y cifras alineados.

De un manotazo se lo guardó en el bolsillo de la chaqueta, al otro costado de donde guardaba la cartera; cerró el botón de su bolsillo y comenzó a ajustar los tornillos de las bases. Malditos tornillos; tardaban en reajustarse.

Detrás de la barraca, perfilado en los tabiques para que no lo viesen, mirando desde la tela metálica, Paul Wernolf había observado paso a paso, segundo a segundo, los detalles de la operación Campbell desde que se guardó la clave hasta que colocó los tornillos. Los ojos se le iban agrandando como si fuese un demente flagelado; los labios, espumosos; los ojos ahuecados por la calentura. Giró como una iguana y echó a correr por la colina abrupta. No siguió el sendero de los jumentos y se atrevió a desafiar las distancias atravesando verticalmente las rutas de la crestería para llegar cuanto antes. Le faltaban las fuerzas de sus piernas, descarnadas y enjutas, sostenidas solamente por el alma de algún monje del Tibet que navegaba en el aire. La espuma de la boca no le dejaba respirar y echaba a cada instante salivazos. Cerraba la boca. Resoplaba por la nariz; pero tenía que volverla a abrir porque se le atragantaba la garganta. Pensó que iba a morir como aquellos indios del incario que llevaban el correo, llegaban sí, pero caían fulminados. Igual que los pájaros que llegaban de otros continentes y no alcanzaban a aterrizar. No sólo los aviones se caían; se caían también los pájaros. La imagen del cuerpo desnudo de la baronesa le daba alientos increíbles. El cuerpo, que tanto tiempo no había tocado, el cuerpo que le rechazaba por el otro. Quizá ahora le donaría como un regalo, como una recompensa de una deuda contraída. Sentía que la carne se le desgarraba y seguía subiendo hasta que llegó al pajonal. Los cazadores habían quitado los seguros y avanzaban para acorralar las presas. Los perros, con los hocicos retorcidos y la lengua al viento, seguían ladrando. En el interior del boscaje los toros mugían presintiendo el encuentro. Wernolf dio tres saltos y llegó hasta donde estaba la baronesa. Le murmuró algo en el oído. La mirada de ella se ensombreció y la boca se le descompuso en una mueca de odio. No contestó. Wernolf se internó en el chaparral y quedó tendido como una momia inerte. George Campbell llegó jadeante a la parte alta de la isla. Encendió un cigarrillo, se secó el sudor y miró al ruedo, dándose cuenta de que había llegado a tiempo. La cacería aún no comenzaba, todos manipulaban las armas y caminaban a la redonda. Avanzó para confundirse con sus compañeros. Apareció como un viejo fatigado, desacostumbrado a esas ascensiones, incluso cojeaba y había entregado su carabina al soldado. Entre los chaparrales de troncos dorados por el sol, con escamas blancas, cubiertos de musgo rojizo, se divisaron las primeras reses, manchas leonadas sobre un fondo verdoso. Los puercos gordos, bien cebados, gruñían apartándose a paso largo de retirada. Los terneros se apretaban contra las vacas mansonas, envejecidas prematuramente en la lucha por el sustento en determinadas épocas del año. Algunas mostraban los huesos. Pronto recuperarían las carnes grasosas con los nuevos forrajes. Los asnos de piel plomiza se agrupaban por familias, indiferentes, a veces retozones, alzaban las ancas y partían al trote. El viento bramaba en la hondonada y bajaba hacia el mar a batir las olas que se tornaban encrespadas y desquitaban su furia contra los arrecifes.

La caravana avanzaba en semicírculo dejando un claro al frente para rodear a los animales, seleccionarlos, mirarlos de cerca para observar si estaban maltones y bien comidos. La baronesa marchaba a la derecha con la carabina inclinada. Junto a ella el soldado, Colvin, Wernolf. A la izquierda los americanos y al centro Lindemann con el otro soldado. Se escucharon los primeros disparos, cayó un torejón y la manada se alejó. El olor de sangre toruna despertaba sus instintos de defensa, su furia salvajina. Los estampidos de las armas de fuego resonaban en el vacío, retumbaban en la lejanía, se amortiguaban en los valles cercanos. De pronto aparecieron una vaquilla y un cerdo. Dispararon la baronesa y el soldado. Erraron el blanco, pero George Campbell se desplomó en tierra y se ajustó el cuerpo con la mano. Una bala le había perforado el vientre. Cayó aturdido, como si no se diese cuenta de lo que hubiese ocurrido. Nadie lo sabía en aquel instante. Tenia el rostro blanco y las ojeras moradas, manaba la sangre. Corrieron los americanos, acudió la baronesa, le tendieron en el suelo, le echaron una manta encima para que el sol no enconase la herida.

—Es culpa del soldado —gritó la baronesa—. Culpa del soldado. Lo ha herido malamente. Hay que fabricar una camilla de leños.

Todos corrieron hacia los arbustos, blandieron los machetes, arrancaron los ramajes, hicieron cuerdas de las lianas, improvisaron un camastro. Allí lo colocaron y comenzó el descenso. Los soldados, Lindemann y Wernolf lo transportaban, turnándose de trecho en trecho con los americanos. La baronesa y Colvin, a cada costado, no le dejaban solo. Predominaba un silencio de entierro prematuro. Nadie hablaba. Estaban sumergidos en sus meditaciones y cada cual reservaba sus temores. ¿Moriría George Campbell, allí, en la Floreana, como un cerdo remontado? El yate sólo regresaría después de tres días. La sangre corría por el orificio y manchaba la camisa. Campbell, más pálido que un muerto, balanceaba los brazos, se endormía por instantes en el sueño de los sepultados. El descenso nunca terminaba. Bloques de rocas que hacían resbalar los talones, tierra fungosa que retardaba la marcha, limoneros que cerraban el paso, cactus puntiagudos que rasgaban el ropaje. El techo de cinc apareció en el valle. Fueron acercándose con fatiga y lo depositaron en el diván de la barraca. Una voz reclamó lo único atinado en aquellas circunstancias.

—El doctor Weinhardt.

Dos americanos salieron precipitadamente. Les acompañaba Lindemann. No caminaban, corrían. Todo era lejano en esa isla donde los hombres se iban, perdían el juicio o terminaban muriendo. Isla refractaria al ser humano. Isla maldita que rechazaba la conquista del hombre, la colonización, la vida que no fuese otra que la inherente a su propia naturaleza.

El doctor Weinhardt estaba en el terrado y escribía.

—Profesor. Ha ocurrido una desgracia. En la cacería, uno de nuestros amigos ha sido herido, George Campbell, quien se hospedaba en su casa. Dispararon la baronesa y el soldado al mismo tiempo. Una bala le ha perforado el vientre. Es cosa de vida o muerte. Tiene usted que venir en seguida.

El doctor Weinhardt permaneció impasible. Las arrugas de su frente se acentuaron, las pupilas se comprimieron. Había realizado estudios de medicina; pero no era cirujano. Podía limpiar una herida, desinfectarla, mas no se atrevería a operar con tan incipientes recursos. En todo caso, no estaba en condiciones de adelantar conceptos. Nunca perdía su aplomo, su serenidad imperturbable. Entró en el barracón y puso en una caja sus instrumentos de profesional jubilado. Recogió todo lo necesario para una intervención: alcohol, gasa, algodón, éter y llamó a Grete. Se colocó una camisa en el dorso desnudo. Lo mismo hizo ella.

Lo imprevisto de la llegada no les había permitido vestirse. De prisa volvieron a iniciar el retorno. El caminaba sin detenerse, habituado a superar distancias. Cuando llegaron, George Campbell sufría agudos dolores. En la mesa del comedor tendieron una sábana y ahí le colocaron. El profesor no había pronunciado palabra; pero miró a la baronesa con franca hostilidad. Ella estaba trastornada y se puso a gritar como una histérica:

—Todos fuera. Todos sin excepción. Sólo quedarán el doctor Weinhardt y por supuesto usted, querida —añadió, dirigiéndose a Grete.

Empujó a los que rodeaban la mesa, llevándolos hacia el jardín, dispuesta a desocupar el aposento.

Grete despojó a Campbell de la chaqueta que llevaba, la camisa y el pantalón. Colocó la ropa en una silla a sus espaldas. El doctor comenzó a examinar con detenimiento. Advirtió el orificio, inclinó el cuerpo a un costado, le dio la vuelta, lo palpó con la mano. La bala había penetrado, pero no encontraba la salida. El boquete no era grande. No se trataba de un disparo de fusil; de eso estaba seguro. No era asunto de vida o muerte como había pensado en un principio. Sería arriesgado operar en tan precarias circunstancias. Lavó la herida con agua caliente, la desinfectó, introdujo algodón empapado en alcohol diluido, realizó un drenaje y la tapó con gasa sujeta con esparadrapo. Trabajó cerca de media hora.

Entre tanto, la baronesa había retirado la silla con el pretexto de que estorbaba y la deslizó al pasillo. No vaciló un instante, recogió el cuaderno con la clave y lo guardó en el seno. Su pérdida hubiese significado el término de su carrera de aventuras inquietantes y acaso de su propia vida.

—¿Cuándo vuelve por ustedes el yate? —preguntó el doctor cuando todos se congregaron.

—Después de tres días.

—Bien. El caso no es de extrema gravedad. Tendrán que llevarlo a Guayaquil para que sea operado antes de una semana. De lo contrario podrán presentarse complicaciones de resultados imprevisibles.

No dijo más. Recogió sus instrumentos, se lavó las manos y salió sin despedirse.

X
El hombre

LA TROPA con pantalones cortos corría por la arena trigueña. El sudor les caía como agua por las frentes, las extremidades y los cuerpos de los morenos; a veces salpicaban remanentes de olas que les producían un aliento de refresco. El sol reverberaba bronceando los cuerpos endurecidos. La roca de los "Five Fingers" emergía del agua dibujando dedos de lava petrificada que semejaban la mano de un gigante. Era el paso obligado para llegar a San Cristóbal. Los marinos y tripulantes la buscaban desde lejos y después enfilaban por ella como una ruta segura para arribar al puerto. Cuando al atardecer la bruma vestía la mole pedregosa, los veleros se detenían para esperar. Aguardaban a que se desvistiese de nuevo. De lo contrario, la embarcación podía hacerse añicos. Aún quedaban los restos del útlimo barco destrozado, los maderos flotantes, los mástiles quebrados, los cascos escollados. "Five Fingers" era una especie de faro diurno, sin luz, clavado en el océano, que debía enseñar sus dedos de piedra para guiar la entrada al puerto.

—Adelante. Carrera..., mar.

—Adelante. Atrás. Adelante. Atrás.

199

—Tenderse. Levantarse. Tenderse. Levantarse.

Los soldados boqueaban, lamían la arena, mojaban la playa, se apretaban el pecho. El teniente Palomino, erguido como una estatua, comandaba el pelotón. Llevaba gorra de visera negra que contrastaba con las canillas desnudas y el pecho descubierto. A veces echaba una maldición cuando no corrían veloces. Otras perdía la calma cuando no le obedecían de inmediato.

—Moverse. Maricones —gritaba.

—No parecen hombres. Parecen doncellas.

Ordenó romper los pabellones y traer los fusiles. Todos corrieron a armarse. Pesaban los malditos Máuser, otros eran Klopacher. Las correas se escurrían de las manos empapadas.

—Al hombro, ar. Presente, ar.

—Al hombro, ar. A dis-creción.

—Al trote, mar.

Trotaban los soldados por la arena rojiza, llegaban hasta los barracones de la guarnición y luego regresaban. Las moscas se les pegaban en las mejillas con furor. No eran moscas de las islas, eran moscas importadas en los barcos transeúntes que se cebaban en San Cristóbal. Moscas desgraciadas que sólo morían de un manotazo. Los fusiles estorbaban. Los soldados resoplaban y cerraban la boca para no cansarse. Nunca se sabía lo que duraba el servicio. Dependía del humor de los oficiales, y como el teniente Palomino había sido de tropa era un fregado. El teniente dio orden de romper las filas y les mandó a bañarse. Volaron por el aire camisas y pantalones, se desprendieron de las gorras de tela, se sumergieron en la marea como focas, escupieron, orinaron, se lavaron la cara. El agua fría del mar les dejaba como nuevos. Sentían un apetito voraz y una sed que les quemaba el gaznate. La hora del rancho se aproximaba.

En la caseta, el comandante Quintanar revisaba los papeles. Estaba de buen humor. El aire de la isla comenzaba a tonificarle, había aprendido de memoria los trámites judiciales; sus ingresos aumentaban. Llegaban pesqueros y pagaban buenas tasas portuarias. Los últimos meses habían llegado muchos. Tenía encerradas en la parte alta de la isla más de trescientas cabezas de ganado, parte de las cuales enviaría a Guayaquil en la próxima remesa en calidad de derechos exclusivos del jefe territorial y sus dos oficiales. Vendía carne a los barcos, que pagaban altos precios en dólares contantes. Había establecido un impuesto de un tanto por ciento en la cosecha de productos. Los colonos pagaban. Requisaba los caballos para el uso de la tropa y para exportar al puerto. Hacía salar la carne de puerco y ordeñar las cabras para elaborar quesos cremosos. Todo aquello se exportaba, se vendía y se consumía en el trajín de los veleros. La vida no era tan estúpida como en un principio. Tenía a la Guillermina, aunque comenzaba a cansarse de ella. Necesitaba otras mujeres y tenía echado el ojo a otra. Lo malo, que la que más le gustaba era mujer de un colono. Vio bañarse a los soldados. Sintió calor y deseó refrescarse. Llamó al sargento.

—Vaya a llamar a la Guillermina.

—A las órdenes, mi comandante.

Se fue con la Guillermina a la playa. Se tiró al agua y nadó frenéticamente por la superficie lisa. Vio unos tiburones; pero estaban alejados, sólo aparecían las aletas aplanadas. La Guillermina se bañaba en camisa, el cuerpo moreno desnudo, puesto que la camisa lo transparentaba, se alzaba con las olas la tela de lienzo barato. Los pechos turgentes se mecían en el agua, las piernas de tobillos toscos flotaban como remos descubriendo sus caderas. Reía la Guillermina, reía y chapoteaba, no en vano era la preferida del señor coronel Quintanar.

Por la tarde le tocaba servicio al teniente Revelo. De acuerdo con las normas militares se presentó en su despacho.

—Buenas tardes, mi comandante.

—Buenas tardes, teniente.

—Vengo a recibir órdenes.

—Diez montados a recoger ganado. Cinco mujeres a ordeñar las cabras. Cinco, a pescar camarones. Cinco, a salar la carne de chancho, a los demás los manda francos.

—Cumpliré sus órdenes, mi comandante. Permiso, mi comandante.

Desapareció el teniente Revelo y el teniente coronel Quintanar siguió revisando los papeles. Echó un carajo sonoro y en voz alta. Otra vez el doctor Weinhardt le escribía una larga denuncia informando que la baronesa había tratado de matar a un hombre, a un americano periodista. Manifestaba que estaba en la obligación de expulsarla de la Floreana. "¡Qué diablos!", exclamó el comandante. Otra vez el doctor.

Había conocido a la baronesa, no era mujer capaz de matar una cabra. Recordó su melena rubia y sus modales insinuantes. Miraba con hondura, se recostaba con voluptuosidad. "A la porra el doctor Weinhardt", pensó. No había recibido ningún oficio del Ministerio. No se podía matar a un americano sin graves consecuencias diplomáticas. Ya le hubieran comunicado. Tomó la carta y la echó en el basurero.

Por la noche se reunieron los oficiales en el casino. Los tabiques de tablas se levantaron sobre bases de piedra. Algunos sillones de mimbre ubicados simétricamente al ruedo, una mesa de ping-pong, botellas de cerveza vacías, otras llenas, aguardiente y coñac de mala marca. Un cabo trajo una botella y vasos rajados de vidrio grueso. Las moscas gruesas pululaban zumbando sin cesar. El mar golpeteaba contra el muelle, crujía la madera con el viento, las nubes opacas tejían pelotas algodonadas en el cielo claro.

—Hoy es mi santo —dijo el teniente Palomino—. Si mi comandante me permite voy a brindar unas copas.

—Felicidades, teniente. Le festejaremos. Llame a la Rosaura, a la Guillermina, a la Dolores, a la Graciela y a la Filomena.

Cuando las mujeres llegaron se inició el baile. La Filomena, con piernas gruesas como troncos y caderas curvadas, danzaba con el sargento. El comandante decía requiebros a la Rosaura, una mestiza de piel clara y ojos rasgados. Las otras se entendían por turno con los oficiales. El teniente coronel sacó el pañuelo, lo agitó en el aire, lo llevó a los pies de la Rosaura, se inclinaba hasta el suelo, volvía a levantarse. La mirada se le conturbaba al verle las piernas desnudas, los pies calzados con sandalias de cuero.

—Bonita. Si tienes unos ojos de Virgen María —le susurraba al oído.

Ella movía las nalgas con más violencia. Zapateaba.

—Qué galante es mi coronel.

Todos sudaban. Las moscas negras fregaban la pista. El teniente Revelo pasaba la misma copa a las mujeres después de llenarla. Tenía los ojos torcidos y encendidos por el alcohol.

—¡Viva el santo!

—¡Viva el santooo! —repetían las voces más enardecidas.

Bailaron, bebieron hasta el alba, hasta que las sombras de la noche se alejaron para dar paso al amanecer.

Otro yate apareció en la bahía de Correos. Era el barco del capitán Harrison, quien, en unión de los demás científicos, retornaba de su viaje de estudios por América del Sur y venía de Guayaquil. De inmediato subieron a visitar al doctor Weinhardt, que les había divisado y les esperaba.

—Profesor. Venimos de Guayaquil, traemos una carta para usted —dijo Harrison—. La carta es de George Campbell. Me adelanto a notificarle que Campbell fue operado en Guayaquil, le extrajeron la bala y está fuera de peligro; mejor dicho, está ya bien. Nos ha pedido tocar en la isla y expresarle su agradecimiento por su oportuna intervención. Quizá usted le salvó la vida. Aquí tiene la carta.

El doctor tomó la misiva y la dejó en la mesa. Lo que le interesaba saber era que Campbell estaba recuperado. Siempre pensó que la herida no era de gravedad; pero podían haberse presentado complicaciones de índole diversa, entre ellas una infección.

—Me complace saber que el señor Campbell está bien. El incidente fue tan desagradable y sucedió en tan extrañas circunstancias que me ha dejado perplejo. No fue el soldado quien lo hirió, sino la baronesa. Así he comunicado al jefe territorial de San Cristóbal.

—¿En qué funda usted esta presunción?

—En el orificio de la bala; no tenía el calibre de una de fusil, sino de una bala mucho más pequeña, posiblemente calibre 22. Esta circunstancia salvó la vida al señor Campbell.

—¿A qué atribuye este hecho insólito de la baronesa? ¿Se trató de un disparo casual?

—No podría decirlo. He oído decir que la baronesa, con morbosa intención, suele disparar en las patas a los animales que encuentra, para después llevarlos a su predio y curarlos hasta que sanen. Probablemente intentó hacer lo mismo con Campbell; herirlo en una pierna para retenerlo a su lado y luego curarlo, pero el disparo le hirió en el vientre. O quizá tendría otras razones. En todo caso, esa mujer constituye un peligro para todos los habitantes de la isla. Espero que las autoridades tomen las medidas necesarias para protegernos contra ella.

205

El capitán Harrison permaneció callado. Quería saber hasta qué punto el doctor Weinhardt estaba informado. Los agentes del FBI habían jugado su última carta y la habían perdido. No era del caso promover un escándalo internacional y perder los estribos. Nada obtendrían incriminando a la baronesa y llevándola ante los tribunales de justicia. Ella sabría defenderse alegando un accidente de cacería, por otra parte bastante común. Era mejor esperar hasta ver cómo se presentaba la situación, puesto que estaban dispuestos a llegar a los mayores extremos para conseguir su objetivo.

—¿Sabe usted, doctor, que se ha montado una expedición para rendir homenaje, aquí en las Galápagos, al gran científico Charles Darwin? La preside Wolfgang von Hagen.

—No lo sabía, pero lo celebro.

El doctor había leído a fondo a Darwin y conocía muy bien sus teorías. Creyó llegado el momento de explayarse en una disertación sobre el sabio a quien admiraba.

—Cuando Darwin se embarcó en el "Beagle" en 1831 estaba convencido de la inmutabilidad de las especies. A su regreso, después de cinco años de experimentos y observaciones, cambió de idea: tenía la certeza de que las especies se modifican. Visitó Cabo Verde, San Salvador, Rio de Janeiro, el litoral argentino, las pampas, Tierra del Fuego, los archipiélagos del sur de Chile, Uruguay y por fin las islas Galápagos. En todos estos lugares realizó penosas marchas, estudios y exploraciones y llegó a la conclusión, obtuvo pruebas terminantes, de que las especies zoológicas evolucionan adaptándose a las características de vida y adaptando sus órganos a las condiciones geológicas y atmosféricas para sobrevivir. En el laboratorio más contundente se convirtieron estas islas. Encontró que existían diferencias marcadas entre las tortugas de la Isabela y las de San Salvador. Lo mismo ocurría con los pájaros pinzones. En una región estaban dotados de largos picos propicios para alimentarse de materias leñosas, mientras en otras el pico era muy pequeño, sólo apto para pescar insectos. No era el primero que sostenía esta teoría: Lamarck la expuso en 1809.

—Una teoría bastante arriesgada para la época —dijo el capitán Harrison—. Ese concepto de la evolución iba contra la interpretación de los textos de la *Biblia*, conmovió a una sociedad que no estaba dispuesta a aceptar que el hombre podía significar la evolución de un cuerpo zoológico y provenir del mono.

—Así es. No obstante, Darwin tenía convicciones profundamente arraigadas en materia de religión. Estuvo a punto de seguir la carrera eclesiástica. El supo defender sus teorías sin descartar los principios de su religión. Cuando publicó su libro *La evolución de las especies*, la edición se agotó en pocos días. Fue reeditado tres veces. El contenido de su obra inquietó a las jerarquías eclesiásticas. El obispo de Oxford promovió un debate público para desacreditarla. Los colegas científicos que compartían sus ideas intentaron defenderlo, entre ellos J. H. Huxley. Darwin no pudo concurrir por su quebrantada salud, había contraído una extraña dolencia en Suramérica. El obispo increpó a Huxley: «¿Sabe usted si desciende del mono por parte de su abuelo o por parte de su abuela?». Huxley le rebatió iracundo: «Prefiero descender de un mono antes que de un hombre cultivado que prostituye los dones de la cultura y la elocuencia en favor del prejuicio y la falsía».

—Darwin fue un científico extraordinario —terminó el doctor—. Sus trabajos han abierto las puertas para la moderna investigación en diversos campos científicos.

—Quiero dejar la isla —dijo Grete cuando estuvieron solos.

Había adelgazado, se sentía enferma, la cabeza le daba vueltas. El aire salino minaba su cuerpo. Weinhardt la miró con odio. Hacía tiempo que no se llevaban, que reñían constantemente, que él no podía trabajar. El tratado de filosofía estaba arrinconado.

—No te irás —gritó—, no te irás. Yo no te he traído. Tú quisiste venir por tu propia voluntad. Tú me imploraste. Tú me obligaste a traerte conmigo. Te hablé de la soledad, de un mundo distinto donde no hubiera seres humanos. Te hablé de una remota misión a favor de Alemania. Tú quisiste compartir mi destierro. Ahora te necesito. No dejaré que te vayas. No habrá una persona que se atreva a arrancarte de mi posesión.

—Quiero salir de la isla —sollozó Grete—. Todo es verdad, pero quiero irme de aquí. Ya no soporto la soledad, tu temperamento iracundo, tus silencios insondables, tu sadismo larvado, tu rigidez olímpica. Comprende que soy una pobre mujer.

—Cinco años estás conmigo. No puedes dejarme —imploró Weinhardt—. Cinco años que he vivido para ti y para mis estudios. No dejaré que te marches.

Ella salió para refugiarse en el monte. Comenzó a vagar por la roqueada, se encaminó a la fuente. Ya no llovía, el verano volvía yerma la tierra ardiente y el agua disminuía, se secaba, se iba poco a poco. ¿Y si llegaba a agotarse del todo? Morirían allí como los animales, morirían de sed: ella, el profesor, la baronesa y sus amantes, los Lindemann, todos dejarían de existir cuando se terminase la provisión de agua de lluvia recogida en los tanques de metal, a no ser que llegase algún barco. Quedóse contemplando el chorro cada vez más mermado de la vertiente. Escuchó pasos. El hombre estaba allí. Tenía el dorso desnudo y la miraba insolente: el busto, la cintura, los brazos descubiertos. Quiso correr; pero permaneció plantada en el suelo como si la hubiesen sembrado. Siempre el mismo hombre, a la misma hora, en el mismo sitio. A veces, cuando se bañaba desnuda en la playa de abajo, en la lava pétrea cubierta de iguanas, salpicada de cangrejos de patas coloradas, lo veía pasar a lo lejos, igual que un corsario extraviado en el paraje. Quiso andar, no podía hacerlo. Estaba arraigada en la tierra. El hombre la miraba. No decía nada. Seguía allí de pie, igual que un algarrobo. Por fin pudo caminar, sus piernas respondieron, el calor la desmadejaba, los embates del mar le torturaban los nervios.

Escuchaba los pasos del hombre, firmes, monótonos, de cadencia irregular. Posiblemente dejaba huellas en la greda pardusca. ¿Adónde iba? ¿Y si la agarraba de pronto en la tierra de nadie? Todo le daba igual. Estaba como alienada, saturada de inquinas, colmada de pesadumbres. Miraba la isla, los límites de esa cárcel inexpugnable de la cual nunca podría salir. Le quedaba un solo recurso: matar al profesor, mientras él viviese no le restaba otra esperanza que dejar sus huesos en la arena como las osamentas blancas de los animales que morían consumidos por el tiempo, minados por la edad. Allí todos huían, todos mataban para poder salir. ¿Y si el hombre quería ayudarle? Volteó la cabeza. Ya no estaba, mejor dicho su silueta se perdía a la distancia. Quiso alcanzarlo, decirle que no la dejase sola, pedirle auxilio para que la liberase. Era demasiado tarde; la figura del hombre con torso desnudo había desaparecido entre los chaparrales. Un llanto convulso le sacudió los senos. Las lágrimas inundaron sus mejillas, calmando su tensión por instantes. Regresó a la barraca, desolada, allí estaba el doctor, erguido en su butaca, manoseando papeles. Levantó la vista para mirarla con sarcasmo. No había nada qué comer. La vivienda andaba revuelta, las frutas se pudrían en las ramas arrugadas, las gallinas rebuscaban las larvas en el suelo. No habló. Corrió simplemente a cobijarse en el camastro, henchida de rencores.

El sol quemaba igual que brasa en los peñascos. Estaban en la ensenada de las tortugas parsimoniosas que permanecían horas enteras sin moverse columbrándose, la ensenada de los manglares donde navegaban otros peces escondidos sin dejarse advertir. La laguna de aguas rosadas estaba más allá.

Los flamencos escarlatas y rosados no se hundían en el fango con sus patas largas, parecían flotar, las membranas rugosas de sus dedos les impedían sumergirse. Las aguas eran rosadas porque los crustáceos, cuando morían, imprimían el color al aguaje. Los flamingos, con sus picos encorvados, doblaban el pescuezo, tenían buches de lámina para no engullir el lodo. Tragaban moluscos, crustáceos, gusanos y peces. Al menor ruido emprendían el vuelo, un remonte poderoso que dibujaba un ángulo. Construían altos nidos en el fango, nidos como colinas submarinas; allí empollaban un solo huevo plegando las patas alargadas.

Ella estaba bañándose sola, igual que una Eva en un nuevo jardín edénico. El mar le chorreaba por las espaldas, el sol resplandecía en su piel morena, los brazos chapoteaban. Navegaba sin rumbo seguida por dos pelícanos que la observaban curiosos. Se sumergía y volvía a aparecer en la superficie peinada por los rizos de las olas. Se tendió en la arena negriblanca, arcillosa, entre las sombrillas de los palosantos resecos, entre las ramas de las acacias que integraban una cortina desde donde se divisaba el lago. El hombre apareció en la peñasquería, más arriba, desdibujado por los matorrales. Deambulaba solo. No llevaba armas ni mochila: un pantalón de baño que le ceñía la cintura. A veces se detenía para mirar el mar e iniciaba de nuevo una marcha lenta, insegura. Caminó cerca de un cuarto de hora, ocultándose en el follaje. Parecía que se había marchado porque era su costumbre desaparecer inesperadamente; pero volvía a asomar entre las ramas, tardo en el avance, bañado a medias por la luz del trópico con modorra de lobezno perezoso. Comenzó a descender en un zigzagueo de rutas diferentes, parándose en los ángulos. Se acercaba cada vez más y estaba a punto de tocar la arena caliente. Ella se levantó como una sirena, avanzó despacio y penetró en las olas. Las olas se encresparon apenas y la arrastraron en la corriente. Nadaba vertiginosamente en dirección opuesta a la que él estaba, escabulléndose como una ondina, emergiendo la cabellera tostada que surgía en el agua igual que un punto en la superficie infinita. Los pelícanos ya no la perseguían y levantaban sus alas en la playa. El hombre quedó en la orilla y semejaba dubitativo, atormentado. ¿No emprendería una vez más el regreso? ¿No desaparecería entre los árboles como una visión inexistente? Ella se puso a nadar a la inversa, es decir, acercándose a la playa sin saber lo que anhelaba. El la vio y de un salto se internó en el agua, agua transparente que la descubría; pero aún estaba distante. Ella se alejaba braceando, respiraba con fuerza, superaba los trechos con cansancio. El intentaba seguirla a prudente distancia. Nadaba como una ballena, dando grandes saltos con el cuerpo rígido, sujetos los pies por unas aletas que se había calzado en la orilla. Daba empujes vigorosos a su cuerpo enjuto y se aproximaba sin remedio. Ya estaban casi juntos los dos cuerpos. Ella se desvió hacia la parte de la ensenada que

212

estaba más distante, donde el ramaje dibujaba un parapeto que parecía un biombo de India. El alargaba los brazos cada vez más próximos hasta que la agarró por el vientre. Ella lanzó un grito sordo un poco ahogado, que no se escuchó en el pleamar. Los dos se sumergieron en un remolino de espuma. Luchaban como aves marinas para extraer peces en la pitanza. Ella se desprendió y siguió nadando, le faltaba el aliento aunque los brazos del otro la atraían como un imán de hierro que la impedían alejarse. Temblaba en el agua fría. El volvió a sujetarla, se aferraba con furia a sus flancos y a sus piernas igual que un pulpo gigante dispuesto a chuparle la sangre. Volvieron a remolinarse entre las olas que comenzaban a encresparse por las ráfagas de viento que descendían de alta mar. Sintióse dominada como si fuese a desfallecer, las manos del hombre se hundían en su piel, sus muslos entrelazaban los suyos, sólo el agua les separaba como una barrera insensible. Dejó de mover los brazos, procuraba respirar, recoger un trozo de aliento de esa brisa impoluta que acariciaba su boca. Nuevamente se sintió cansada y dejó que las olas la llevaran lentamente a la orilla de arena. Por fin sus pies tocaron el fondo y se incorporó sin hacer resistencia. Iban los dos abrazados, cubiertos por sus propios cuerpos. Caminaron paso a paso por la playa sin defenderse. La arena hirviente quemaba sus plantas, el sol abrigaba sus miembros entumecidos. Penetraron por los palosantos, se perdieron entre las dunas de arena como el primer hombre y la primera mujer de un paraíso perdido. No estaba allí la serpiente; pero se extendía la laguna rosada con flamingos rosados y escarlatas. Caminaban tan sigilosamente que las esbeltas aves ni siquiera emprendieron el vuelo. Buscaron un recodo tupido donde los troncos escuálidos y las ramas vertebradas les cubriesen. Allí se recostaron sin mirarse, sin hablarse, impulsados por una fuerza interior que les sofocaba. Allí quedaron adormecidos, amortiguados por el choque del pleamar, por la lucha desigual en el remolino, por la sal que lamía sus articulaciones y el sol estival que lastimaba sus entrañas.

XI
Un yate

EL YATE "Ara" del millonario Vanderbild avanzaba majestuosamente con las velas desplegadas aproximándose a la isla. El capitán y los grumetes, vestidos de blanco, cuidaban de las rocas eludiéndolas contra el rebote de las ondulaciones del mar. Echaron las cadenas que se desgonzaron en el agua hasta tocar el fondo. El millonario Vanderbild observaba indiferente la maniobra; pero contemplaba embelesado el panorama de la Isla Encantada. Representaba un mundo muy diverso al que él estaba habituado a recorrer. Había viajado por tantos rincones del globo en sus peregrinajes de reposo cuando sus intrincados negocios e ingentes inversiones le permitían tomarse un respiro. En otros tiempos sus cruceros favoritos fueron la Costa Azul: Cannes, Niza, las costas italianas. En uno de sus viajes conoció a la baronesa: acababa de separarse de su marido y residía con cierto boato en un lujoso hotel de Cannes. Amigos comunes le pusieron en contacto con ella y juntos fueron a las fiestas y veladas del casino. El jugaba mucho dinero en aquel tiempo, en punto y banca, a las cartas, a la ruleta que daba vueltas sin cesar:

"Madames, messieurs. S'il vous plaît, faites vos jeux. Rien ne va plus. Rien ne va plus".

Recordaba la ruleta y recordaba a la baronesa mientras el barco fondeaba. Sus remembranzas le colocaron en un punto muerto del pasado, de un pasado distante, cuando ella lucía sus vestidos de noche largos y escotados, sus joyas de valor, las líneas cimbreantes de su cuerpo en plena madurez, todavía en sazón para las intimidades de la alcoba. Recordaba que tenía los labios sobresalientes por una dentadura desigual; pero de ella se desprendía un extraño dominio hacia los hombres que siempre la rodeaban. Tenía fama de mujer insinuante, colmada de recursos, hasta cierto punto misteriosa, que prodigaba su encanto en las reuniones sociales. Ella le atrajo desde el primer momento. Fueron juntos a Capri. Visitaron los pórticos de San Michel, las Cuevas de Tiberio, cruzaron la Gruta Azul, pasearon en el caserío que se levantaba en la ladera cortada a pico, se hospedaron en el hotel Quisisana. Una noche ella golpeó su puerta cuando se aprestaba a conciliar el sueño y se hizo su amante. La retuvo mucho tiempo. Mucho tiempo no pensó en ninguna otra mujer, viajaron juntos, le obsequió joyas y dinero, después emprendió el regreso. Volvió dos veranos consecutivos para pasarlos junto a ella. Poco a poco la fue olvidando. Los recuerdos fluían en su imaginación de hombre hastiado de la vida. El pelo rubio emblanquecía por los años, la grasa había embotado su musculatura antes flexible, la brega constante en los negocios y en la lucha del dinero le tornaban taciturno, callado. Ella le había escrito varias cartas. Le hablaba sobre la Floreana y sus fantásticos proyectos. Le invitaba a reunirse con ella. Había conocido las islas en otros viajes. Demoró el crucero prometido porque sus ocupaciones no le daban tregua. Allí estaba; pero no deseaba desembarcar. Cuando el yate se detuvo se dirigió al salón y se sentó en el escritorio embutido de maderas distintas y recubierto por chapas de metal labrado, escribió una esquela y llamó a un grumete para que la llevase a tierra. Bajaron dos hombres por la escalerilla móvil. El grumete y un alemán que le acompañaba entre sus invitados. Le había conocido en Nueva York y llegó a intimar con él. Era persona que mantenía excelentes relaciones en los círculos económicos y en el Departamento de Estado. Hacía viajes frecuentes a Washington. Estaba bien enterado de los sucesos políticos que inquietaban a Europa y realizaba transacciones comerciales con diferentes países.

Después de penosa marcha llegaron los dos hombres al sector habitado de la isla. El alemán mayor Torbeck se deslizó al plantío de Lindemann, el marinero prosiguió a "El Paraíso". Lindemann trabajaba en la construcción de una dependencia. Creía haber recuperado su paz resentida por los últimos episodios. Los americanos partieron sin entrevistarse con él ni dejarle ninguna consigna. Sintióse liberado, al menos por el momento, de nuevos contratiempos. Necesitaba cuidar de la finca, ampliar la casa, almacenar los granos. Cuando divisó al robusto alemán comprendió que su libertad estaría eternamente intervenida. Dejó la herramienta y con la mano mugrienta se secó el sudor de la frente, extrajo polvo de tabaco cultivado en la chacra y lo envolvió en un papel amarillo. Fumaba bastante y en vista de que los cigarrillos importados se iban terminando decidió ensayar el cultivo. El humo le serenó. Avanzó para dar la bienvenida al transeúnte. Quizá no fuese sino un turista cualquiera que llegaba por azar. No era así, notó su porte y sus facciones de hombre habituado al comando.

—Soy el mayor Alfred Torbeck. ¿Usted es el sargento Lindemann, no es así?

—Sí, señor, a sus órdenes. ¿Desearía usted un refresco, un poco de agua para mitigar ese calor extenuante?

—Primero desearía conversar con usted a solas.

—Siga usted adelante. Mi mujer y mi hijo se han marchado y no volverán hasta pasado el mediodía.

Subieron pocos peldaños por la escalera de madera rústica. Lindemann avanzó hasta la cocina para alcanzar un jarro de agua de naranja. Lo guardaba en el rincón más fresco de la cabaña, protegido del calor. Tomó dos recipientes de vidrio y fue a juntarse con el visitante.

—Lindemann —dijo el mayor Torbeck—. Me envía el capitán Funk. Hemos fracasado en el intento de obtener el código. Campbell estuvo a punto de perder la vida cumpliendo su deber. Lo encontró en el baúl de la baronesa; pero ella se lo arrebató mientras curaban su herida y no tuvo tiempo de entregarlo a uno de sus colegas, puesto que no lo dejaron solo. Hemos llegado a la conclusión de que tendremos que valernos de los métodos más extremos para conseguirlo, y si no queda otro recurso, habrá que hacer desaparecer a la baronesa y a Colvin. Usted tendrá que encargarse de ello.

—No considero ésta una solución definitiva. Si desaparecen la baronesa y Colvin quedará Wernolf. Además, no puedo promover semejante escándalo en la isla. He sido suboficial del ejército alemán; pero no soy asesino.

—Usted es un agente del Servicio Secreto del Ejército —exclamó Torbeck con dureza—. En cuanto a Wernolf, cuando desaparezcan la baronesa y Colvin, quienes son los ejes principales de la conspiración, se irá de aquí y nosotros podemos secuestrarlo en Guayaquil o donde vaya, en vista de que contamos con la ayuda de las autoridades. En lo que a usted se refiere, debo prevenirle que su misión es cumplir órdenes. Intentamos evitar la guerra y ahorrar millares de muertos, sean éstos alemanes o americanos. Uno o dos cadáveres no significan nada en el teatro de los acontecimientos que se aproximan. Si usted no cumple con su deber tendrá que volver a Alemania y terminar en un campo de concentración o será eliminado. Recuerde que usted está al servicio de la Rewhar.

La cabeza de Lindemann se inclinó sobre el pecho como un acordeón, las bolsas hinchadas de sus mejillas resaltaban en el rostro surcado de arrugas.

—Intentaré cumplir las órdenes —murmuró— por la grandeza de Alemania.

—No faltará una oportunidad, Lindemann. Un disparo perdido en el monte, un tiro enfilado a una res salvaje que se desvía. No es tan difícil proceder en una isla deshabitada. Ahora me marcho, porque el señor Vanderbild ha invitado a almorzar a la baronesa. El no sabe mi identidad, sólo sabe que la baronesa estuvo a punto de matar a un periodista norteamericano y no abriga la menor intención de visitar la isla.

En el lujoso comedor del yate, la baronesa, Vanderbild y cinco de sus amigos se habían sentado a la mesa. Hacía tiempo que la baronesa no veía tanta opulencia. Los pajes de casaca roja se turnaban silenciosos sirviendo las fuentes de viandas excelentes: *paté de foie gras* y tostadas, consomé helado y pavo refrigerado traído de Estados Unidos. El vino blanco de Borgoña bien helado caía pródigamente en las copas de cristal. La baronesa había pasado más de una hora frente al espejo maquillando su piel ligeramente marchita. El tiempo dejaba sus huellas. Incipientes arrugas se dibujaban debajo de los párpados; las había matizado repetidas veces con cremas diferentes. A pesar de que el agua estaba a punto de secarse en la vertiente, envió a Wernolf con un tanque a recogerla. Tomó un baño de agua dulce. Seleccionó las mejores prendas de su antiguo equipo de verano. La blusa rosada de seda, los pañuelos a cuadros de colores suaves, los anillos adecuados. Volvió a mirarse en el espejo. Aún se consideraba una mujer atrayente que despertaba las pasiones de los hombres que la conocían.

—Por lo visto, baronesa —dijo Vanderbild—, usted no piensa volver a la civilización. Hace cerca de dos años que reside en la isla. Me han dicho que tiene un poder absoluto en ella y la prensa ha hablado que se ha proclamado emperatriz de la Floreana. Todo esto es muy interesante; pero no llego a comprender cómo una mujer que disfrutaba tanto de la sociedad llegue a renunciar a ella y se destierre en un lugar desierto.

—El asunto de que me llamen emperatriz son comentarios tontos y desagradables. No he podido realizar mis proyectos porque hay condiciones poco favorables; pero puedo decirle que vivo feliz en la isla. Usted ha estado antes en las Galápagos y sabe el singular encanto que tienen. No se admire de que mi sociedad esté compuesta de lobos marinos, cormoranes picudos y tortugas. Por otra parte, vienen otros amigos a visitarme. No pienso de momento alejarme de aquí. Es posible que termine mis días en esta isla. Alguna vez pensé realizar un viaje a Australia, mas he desistido por ahora.

—Es un asunto personal. Yo también desearía abandonar mis negocios y preocupaciones y retirarme a un lugar tranquilo.

—Supongo que ustedes pasarán algunos días en mi casa. Hace mucho tiempo que esperaba su visita, Vanderbild. No le vendrá mal una temporada de reposo.

Infortunadamente no nos es posible desembarcar. Tenemos urgencia de continuar a Tahití. Tengo allí una cita con hombres de negocios. He desviado el recorrido para cumplir mi palabra y hacerle una visita, baronesa.

—No podré perdonarle nunca que habiendo llegado hasta la isla se marchen sin conocer mi finca. He esperado con verdadera ilusión esta entrevista. Confío que no me defraudarán.

—Me temo que no sea posible —dijo secamente Vanderbild.

El mayor Torbeck observaba a la baronesa sin pronunciar palabra. No le parecía posible que una mujer tan mundana y de refinados modales hubiese estado a punto de asesinar a un hombre y que sus superiores hubieran decretado su muerte. Sirvieron champaña, café y licores.

Después de comer, Vanderbild invitó a la baronesa a subir al segundo puente. Los dos se miraron con recelo. El peinaba canas y un dejo de fatiga ensombrecía sus facciones y su actitud a pesar de sus maneras circunspectas. El cuerpo de ella había perdido la rigidez de otras épocas. La carne formaba pliegues en los brazos desnudos. Las pupilas se atrofiaban por el paso de los años.

—Henry —dijo—. ¿Cómo es posible que vengas y no te quedes conmigo una temporada? ¿Has olvidado todo lo que significaste para mí?

—Los años han pasado, Lotte. Lo nuestro también pasó.

—Aunque así fuera. ¿Por qué te marchas como un enemigo?

—Porque te conozco. Querrás retenerme indefinidamente. Cuando tienes un capricho no cedes hasta salir vencedora. En verdad, debo ir a Tahití a un asunto de negocios.

—Te prometo que no trataré de retenerte. Puedes quedarte dos o tres días y descansar a mi lado.

—Será difícil, Lotte. Tú eres una mujer enamorada del amor y te gustan los placeres cotidianos. Yo he superado esa etapa. No quiero intervenir en tu vida, pero debes abandonar la isla. Nada bueno te traerá la aventura en la que andas metida. Los periódicos dicen tantas cosas de ti...

—Vivo mi vida, Henry. ¿A quién le importa el resto?

—A mí, porque te quise.

—¿Ya no significo nada para ti?

—Nada es una palabra sin sentido. Significas un recuerdo inolvidable. Un episodio que terminó en recuerdo como todos los episodios. Escúchame, Lotte. Dicen que por poco matas a un hombre, y que cuando llegan yates haces una vida disoluta.

—Fue un accidente de cacería. Cuando vienen amigos bebemos y bailamos como siempre lo hemos hecho.

—Tú sabrás, Lotte; pero te prevengo.

—Quédate, Henry.

—No puedo.

Por los ojos de la mujer pasó un destello de despecho.

—Está bien, Henry. Debo advertirte que no dispongo de licores, ni comestibles, ni cigarrillos. Aquí no hay mercados.

—No te preocupes. Mi *chef* te proveerá de lo que te haga falta.

Volvieron a mirarse los dos como si un abismo mediara entre ellos. La brisa azotaba el velamen. El mar color azul cobalto mecía el casco del velero. Los segmentos croncíneos rodeaban la superficie de la colina volcánica. Regresaron al salón de pasajeros. El llamó al jefe de camareros y le dijo pocas palabras en voz queda, luego hizo venir al capitán para ordenarle poner la embarcación en marcha. La baronesa descendió lentamente la escala, sujetándose de la cuerda. Saltó al bote de motor y elevó la cabeza. Hizo una señal con la mano y desapareció en el vaivén de las olas.

Hundido en un rincón de la cabaña, el cuerpo hecho un esqueleto, las piernas picadas por los moscos, quemadas por las llagas, Paul Wernolf no quería hacer nada, no quería trabajar. Después de una breve luna de miel en los desfiladeros del monte, ella le volvía a rechazar, no le toleraba, le dejaba en espera perenne día a día, hora a hora, como si no existiese. Después de la partida del yate de Vanderbild se había tornado de carácter irregular, irascible, pendenciero, permanecía en insufrible laxitud. Hacía falta roturar los campos para sembrar el maíz y la patata, cuidar las hortalizas, vigilar el gallinero; pero él no quería laborar. ¡Que trabajase el otro! Mas el otro tampoco lo hacía. La barraca era una miseria: el polvo invadía los tabiques, la basura inundaba el jardín, la ropa quedaba sin lavar.

—Paul, anda a traer agua.

Nunca contestaba. Permanecía sentado como si fuese un mueble, no se movía. Cuando mucho le apremiaban salía disparado por las breñas, se perdía en la montaña, corría a unirse con los leones marinos, le calmaba el griterío de los animales, manejaba las piernas con agilidad de saltimbanqui, saltaba por las aristas de las rocas. Sentía que la enfermedad empeoraba. La época lluviosa quebrantaba sus arterias reumáticas, la caverna del pulmón tuberculoso cada día se agrandaba. El verano y el sol parecía que cicatrizaban la herida y los accesos de tos aminoraban. La dolencia azuzaba su sensibilidad errabunda: percibía los rumores más tenues y sabía de dónde llegaban; conocía los bramidos del mar cuando se aproximaba la tormenta. A veces no comía, otras regresaba a la barraca y calentaba las sobras.

—Paul, coge el azadón y anda a preparar la tierra. Si no lo haces, el próximo invierno no tendremos qué comer. Ya no llegan más yates —gritó la baronesa.

Quedó arrebujado, mostrando los pantalones remendados y la mirada rencorosa. El otro estaba allí. Avanzó paso a paso.

—Obedece, tarado. Que esta vez voy a matarte.

Hubiera podido huir, escurrirse en el matorral, despeñarse por el graderío; pero prefirió esperar dispuesto a afrontar lo que viniera. Ya lo tenía muy cerca; pero no se movía; los nervios contraídos, las narices abiertas. Sintió una bofetada en la mejilla que le hizo tambalearse. Esquivó la segunda y le escupió en el rostro.

—Infecto, tuberculoso.

Dos manos le agarraron y le iban ahorcando. Consiguió liberarse. Dio un salto como un gato amenazado y alcanzó a coger una butaca. Se abalanzó de

225

un brinco y le incrustó una pata en la mejilla. La carne se cuarteó, manaba sangre. Ella gritó frenética y se lanzó por la espalda a incrustarle las uñas. Entre los dos le machacaron a golpes. Los ojos se le hincharon, la sangre le chorreaba por la nariz, el aliento le faltaba hasta que cayó inconsciente. Allí lo dejaron para que se muriese, revolcándose en las tablas sin poder levantarse.

Cuando volvió en sí se arrastró hasta la cocina y bañó su cabeza en el agua del pilón. Se sintió reconfortado, deslizóse por la cabaña y se recostó en la tierra; se levantó de nuevo, dirigiéndose al bohío de los Lindemann.

—¿Que ha ocurrido? —exclamó Matilde, asustada—. ¿Otra vez?

Entre los dos lo llevaron al lecho, le curaron las heridas, le lavaron las carnes desgarradas, le dieron un remedio para que dejara de toser. Quedóse dormido hasta que penetró la penumbra, las sombras giraban en su torno como si fuesen brujas embravecidas que le pegaban con escobas. Se puso a gritar. Vinieron a calmarle. Siguió delirando hasta el amanecer.

Paul Wernolf quedó hospedado donde los Lindemann. No quería regresar. Se arrinconaba en un recoveco sin pronunciar palabra. A veces ayudaba en los sembrados, alternaba en las labores del campo. Matilde le ayudaba a serenarse otorgándole pródigos cuidados. Lindemann le hablaba de Alemania; juntos iban a los huecos de los volcanes para buscar cacería y traer animales. Los diversos quehaceres sin mal trato lo hicieron sosegarse, confiarles las intimidades de la otra barraca. Recordaba las horas de esperanzas ahora fallidas puesto que creyó encontrar en el clima de la isla la curación de sus males. Así había leído en los escritos publicados por el doctor Weinhardt. El aire del ambiente mataba los microbios; los cuadrúpedos no enfermaban, morían de consunción; los que llegaban con bacilos extraños usualmente se recuperaban. Estaba seguro de que si regresaba algún día lo matarían y no dispondría de un transporte si le dejaban mal herido. Le sacudía la obsesión de abandonar la isla. Iría a cualquier punto de la tierra donde pudiera olvidar, ganarse el pan cotidiano, conseguir su libertad ahora encadenada. Sabía que no le dejarían marcharse. Un destino maldito les unía a los tres. El otro desconfiaba desde el día que abrió los cajones. Le había visto registrando papeles, había oído conversaciones secretas con el noruego. Ella también recelaba, disimulando con sus artes femeninas y sus caricias esporádicas. Nunca le dejarían salir.

El odio fue incubándose poco a poco en el alma atormentada de Wernolf. La vida le había dado latigazos igual que a un asno de carga. Su carrera frustrada. Su ideología de adolescente hecha añicos en los choques callejeros. Su desorientación prematura por una enfermedad incurable. La había deseado con toda la fuerza de sus entrañas hambrientas, gozó de los mendrugos de carne que le prodigaban por meses, por horas o por instantes, de acuerdo con sus caprichos. La siguió como un can fiel a la mano que le arrastraba por el laberinto de las pasiones. Pensó en suicidarse cuando ella lo sustituía. Toleró improperios, golpes, humillaciones abyectas. Todo parecía en vano y como contrapunto comenzaba a odiarla, a odiar a los dos, y estaba dispuesto a exterminarlos, al menos eliminarlo a él para intentar el monopolio del cuerpo. A veces pensaba que de nada le serviría liberarse del otro, porque tarde o temprano ella lo mataría como a un conejo indefenso. Ella mataba a los animales maltones para verlos sufrir y después se arrepentía. Mejor era romper la jaula de barrotes de oro y emprender la huida.

Lindemann advertía y se compenetraba de sus siniestros designios. Le decía palabras que reclamaban el desquite, consejos de revancha. Una idea le daba vueltas en el cerebro atormentado de tanto pensar en las órdenes impartidas por el capitán Funk. ¿Por qué no dejar que la mano del afiebrado Paul Wernolf, condenado a una muerte por consunción a plazo fijo, no cumpliera el mandato a él encomendado? No necesitaba matar de frente, sino dejar que se saldasen las cuentas lo mismo que hacían los bucaneros, los corsarios, los balleneros en isla. No le quedaba otra alternativa.

—Si tanto te han humillado los dos, ¿por qué no los eliminas y huyes de la isla? —le dijo un día.

El otro permaneció cabizbajo, dubitativo, encerrado en su secreto infernal.

—Lo sé. Nunca me dejarán salir.

—Nunca. Ya debes escoger entre tu vida y las de ellos.

Titubeó un momento.

—Me libraré de él cuando se presente la ocasión... y por la espalda.

—Ella no te lo perdonará. Te mandará al sepulcro. Tú conoces de lo que es capaz. Tú le estorbas. Te mantiene a su lado porque te necesita. El otro es el amante que la hace vibrar, por él dejó a su marido. Por él vino a la isla desierta para retenerle sin rivales; los otros son amortiguadores de su sexo.

—Los mataré a los dos si ellos no me asesinan primero.

Quedó sumido en las tinieblas de su mundo interior. Apenas comía. Caminaba por las noches igual que un insano en los contornos de la chacra de la baronesa, daba vueltas y revueltas. Desaparecía en las colinas y retornaba de anochecida. A esa hora se internaba en "El Paraíso", atisbaba por las ventanas, se perdía entre las sombras del jardín y escuchaba atento todos los rumores.

XII
Disparos

EL HIJO había crecido, los músculos se le ensan-
charon, el tórax se le había robustecido en el cotidiano laboreo. Ya no era el adolescente extenuado que
llegara enfermizo y desmedrado. Cristoph era moce-
tón bien plantado, con rostro de romano. No gruñía
palabras ininteligibles, se expresaba con frases entrecortadas que interpretaban sus pensamientos con dificultad. Distante. Caminaba errabundo por los
parajes contemplando los panoramas cambiantes, la
lejanía del mar, el colorido de los atardeceres. Portaba
cuchillo al cinto y pasaba las horas observando el jardín de la baronesa, la avenida de naranjales, los lin-
deros del valle donde ella paseaba. La baronesa había
advertido también al adolescente huraño que se desarrollaba apresuradamente.

—¿No será conveniente que el chico aprenda
unas palabras de inglés? —dijo a Matilde—. Son muchos los americanos que visitan la isla.

Matilde consideró ventajosa la propuesta y se
comprometió a mandarle a casa de ella. Allí se encerraban los dos para que él aprendiese las dicciones del
nuevo lenguaje. Cristoph Lindemann concurría por

las mañanas, por las tardes, cuando ella tenía tiempo. Salía aturdido, con las pupilas extraviadas, con una expresión de delirio. Cuando no ayudaba a su padre, se plantaba como un poste en el terreno más elevado de la chacra para esperar la llamada, para atender paciente la hora del encuentro, cuando salía Colvin. Wernolf se entendía con el adolescente, le llevaba en sus excursiones, le acompañaba a pescar en el manglar, le entendía su lenguaje de palabras mal hilvanadas, de signos que trazaban sus manos y traducían sus ideas confusas. Nadie sabía exactamente lo que pensaba el muchacho, lo que retenía en el fondo de su espíritu, lo que vislumbraba al quedarse horas enteras mirando las distancias.

Varanger llegó intempestivamente a la isla y se encaminó al predio de la baronesa. Allí permaneció hasta mediodía en que fue a buscar a Paul Wernolf, informado de que ya no residía en el hotel "El Paraíso". Lo encontró en los terrenos de los Lindemann. Juntos desaparecieron por el monte.

—¿Qué ha pasado, muchacho? ¿Por qué has reñido con la baronesa?

—Ya no puedo soportar más esta vida —dijo Wernolf—. Deseo marcharme.

—No puedes hacerlo. Te necesitan hoy más que nunca.

—¿Otra vez la clave?

—Sí. Divo me manda decirte que Moscú le apremia cada día. Consideran que es de suma urgencia conseguirla y lo más pronto posible. Dicen que temen ser atacados tarde o temprano por el Japón en sus fronteras y que les urge estar enterados de sus planes. Consideran que no hay que escatimar los medios para apoderarse de ella y, si es necesario, incluso eliminar a la baronesa. Tú sabes que las órdenes de Moscú son terminantes y no admiten dilaciones. No se juega con la SKDE. Dime, ¿tienes idea de dónde está?

—En el baúl de la baronesa.

—Tú lo registraste.

—No la encontré. Tú sabes que me faltó tiempo. Sin embargo, sé que está allí. Constaté cómo uno de los americanos la extrajo. Me vi precisado a avisar a la baronesa y ella estuvo a punto de matar al americano. No creo que la haya guardado en otro sitio.

—Entonces habrá que proceder a llevarse el baúl y llegar a todos los extremos.

—Si desaparece la baronesa queda Colvin.

—Tendremos que matar a los dos.

—No es tan fácil. Lindemann y el doctor Weinhardt nos acusarán. Me parece que Lindemann anda en tratos con los americanos. Ellos le visitaron e intentó retenerme al momento del atraco. No pretendo acabar en la cárcel.

—Divo nos ofrece cinco mil dólares si le entregamos la clave. De lo contrario, las consecuencias serán imprevisibles. Irás a terminar tus días en Rusia, en algún campo de Siberia. A una isla abandonada puede llegar un pesquero por la noche, secuestrarte y llevarte donde sea sin que nadie reclame por tu desaparición.

El rostro de Wernolf se demudó. La tez, de ordinario pálida, se tornó blanca como un papel. Stalin había probado que no se andaba con escrúpulos con los agentes de su Servicio de Inteligencia y otros personajes dudosos que no cumplieran estrictamente con las órdenes impartidas. Millares de hombres habían caído en desgracia por la más leve sospecha o fueron exterminados por la más ligera insubordinación. Les eliminaba también cuando sabían demasiado.

—Tendré que buscar una oportunidad. No es fácil liberarse de los dos al mismo tiempo. Además, no dispongo de un arma.

Varanger metió la mano en el bolsillo.

—Aquí la tienes. —Le entregó un revólver—. Dime, ¿y si robamos el cofre esta noche?

—Es absurdo. Ellos duermen junto a él. Por otra parte es demasiado pesado y hasta transportarlo al desembarcadero tendrían tiempo para alcanzarnos. Una muerte por robo vendría a complicar las cosas. No queda otro remedio que esperar.

—Yo debo salir mañana temprano. Tengo otras órdenes que cumplir. Pero haré una última tentativa. Déjalo de mi cuenta.

—¿Qué tentativa?

—Ya lo sabrás si consigo mi propósito. A partir de las once de la noche deberás permanecer cerca de "El Paraíso". Si te llamo con un silbido penetras en la barraca.

—¿Piensas asesinarlo esta noche?

—Nada de eso. No voy a echar a perder las cosas. Intentaré llevarme el cofre.

—Tú verás. Encuentro que la maniobra no tiene sentido. Yo no te ayudaré.

Volvieron a la chacra y Lindemann les invitó a cenar. Tomaron aguardiente de caña. Conversaron de sobremesa. Varanger se excusó. Debía retornar a donde la baronesa a cobrarle los comestibles que le había vendido. Ella le esperaba en el diván. Había perdido los arrestos de otros tiempos. Parecía ausente, preocupada. Sus ojos claros miraban inquietos a uno y otro lado. Colvin también se mostraba hostil.

—Baronesa —dijo Varanger—. ¿No me va a brindar unas copas como en otras ocasiones? Mañana me levantaré temprano para poner en orden la casa. Veo todo muy descuidado.

—Es culpa de ese Wernolf. No quiere volver donde nosotros, que le hemos soportado todo. Es un mal agradecido. Varias veces he tratado de convencerle, pero no quiere volver. Está muy enfermo. Yo no tengo la culpa.

—Dice que ustedes le tratan muy mal.

—Quiso golpear a Colvin y Jack le propinó una paliza. No hace nada, no obedece, se niega a trabajar.

—Ya le pasará —dijo Varanger—. Bien, baronesa. ¿Qué le parece si tocamos la vitrola y tomamos unas copas? Me siento dispuesto a divertirme un poco.

—Esta noche no quiero beber —dijo secamente la baronesa—. Esta noche tengo proyectado acostarme temprano para salir mañana a una cacería. Nos hace falta carne. Si quieres acompañarnos...

—No me es posible, tengo que salir mañana antes del mediodía. Visitaré otras islas, llevo artículos para vender.

—Entonces te veremos al regreso.

Al día siguiente, Varanger fue a juntarse con Wernolf.

—Mi plan fracasó. Anoche la baronesa no quería beber. Tendrás que arreglarte solo. Divo no concede plazos indefinidos. Volveré después de veinte días.

Lindemann se echó la mochila a la espalda, se ciñó la cartuchera, escogió una carabina y llamó a su hijo para que le acompañara. También le hacía falta carne. Las reses escuálidas por la sequía bajaban de las colinas en busca de agua. Morían las terneras desmamantadas, se tendían los pollinos sin fuerzas para levantarse, los perros sedientos daban vueltas. Hacía tres meses que no llovía y la vertiente se secaba. Aquel verano era riguroso. El más riguroso de su permanencia en la isla. Ya habían depositado en la estafeta de correos cartas en las que pedían auxilio, provisión de agua por si el verano continuase. Los dos penetraron por el ramaje y llegaron a la planicie del cerro. El sol reverberaba. Los arbustos semejaban palos devastados por una ola de fuego. Los animales, los pájaros, chupaban los cactus, los cactus sin espinas que conservaban la humedad. La isla parecía un cementerio. La hierba había expirado en la tierra rojiza, sólo el viento arremolinaba iracundo y terminaba de expoliar el follaje. Lindemann y su hijo trastabillaban en el suelo resbaladizo, encerado por el calor, carcomido por el sol. Pensaba en el capitán Funk, en el código, en la baronesa. ¿Se atrevería ese desgraciado de Wernolf a llevar a cabo su venganza? Era demasiado irresoluto, demasiado enclenque. Se notaba que no había conocido la guerra: los cráneos destrozados, los miembros mutilados, las exhalaciones de dolor incontenible, los estertores de la agonía. Si el otro no lo hacía, tendría él que solucionar el problema. No quería regresar a Alemania y menos pudrirse en un campo de concentración. Le atraía la isla con su poder hechicero. Nunca creyó que la vida primitiva fuera tan avasalladora. Poseía lo necesario y nada conturbaba su existencia, a no ser las órdenes del capitán Funk. No saldría nunca de esas Islas Encantadas donde regara las mieses con el sudor de sus manos, donde no existían calendarios, ni impuestos, ni desfiles militares, ni choques callejeros, ni discursos demagógicos. Se sucedían las pasiones porque existían hombres dispersos y aislados.

Los cerdos no aparecían. ¿Se habrían remontado en la hondonada? Desbrozó la maleza con un machete. Abajo, cerca de un embudo, estaban dos animales enlazados. Se acariciaban los flancos, se lamían la boca. Mas no eran animales y parecían seres humanos surgidos de la nada. Se les veía pequeños como focas alargadas, pero tenían la piel clara, fulgurante con los rayos verticales del sol. Allí se quedaron largo tiempo con las extremidades extendidas. Volvían a tocarse los cuellos y presionaban los muslos. De pronto se pusieron de pie. Subían por el flanco de la colina, por los riscos del despeñadero. Ella iba adelante y renqueaba ligeramente. La reconoció. Se había lastimado la pierna hacía un mes. Le vino un vahído de tanto comer huevos mezclados con plátano machacado con azúcar y sal. Se había caído cuando sostenía una botella en la mano que se hizo añicos. Los vidrios le penetraron el muslo y desde entonces caminaba con paso irregular. El marchaba atrás con andar cansino, los cabellos rojizos brillaban en la luz, el dorso descubierto, la estatura elevada que se inclinaba hacia adelante como peregrino a quien sólo falta el cayado. Andaban distantes, separados por las piedras esparcidas igual que montículos en la escalerilla de la pendiente. Semejaban dos fantasmas humanos que habían salido de repente de la oscuridad de las cuevas distantes.

Lindemann dejó que pasara la visión. Contuvo el aliento y dejó el machete en el suelo. El cerdo enflaquecido ya no le preocupaba. Una idea fija le machacaba el cerebro. Aquella era la isla de los espíritus enloquecidos. Todos buscaban la paz, pero el silencio indefinido les trastornaba los sentidos. El no constituía una excepción. Estaba también contagiado por el aire viciado de los bucaneros. Bajó con el hijo paso a paso. Vio las aristas de los peñascos cortados a pico. Llegó al bohío. Habló con Matilde. Sería mejor que todos muriesen. Si la sequía se prolongaba desfallecerían todos, incluso él. Matilde se deslizó por el sendero con los ojos desorbitados. Las flores morían en los bordes del jardín y el viento azotaba inclemente.

La noche cubrió de sombras angulosas y verticales al barracón. El cielo estaba gris, desprovisto de nubarrones. Los asnos masticaban la caña seca, la vaca que había dejado de lactar rumiaba junto a los algarrobos, los gatos muertos de sed maullaban en las copas de los arbustos, las olas lamían los peñascales con el mismo vaivén, con la misma cadencia monótona. Wernolf merodeaba por los contornos, subía y bajaba el graderío de rocalla, se deslizaba en el aire suspendido por una cuerda invisible, se arrastraba como un gusano por la espesura. Llegó hasta los tabiques de madera. Escuchó los gritos. La baronesa decía palabras incoherentes, enardecidas. Rompía la vajilla, lanzaba los muebles contra las paredes, roncaba de ira.

—Miserable. Todo me lo debes a mí. Villano. Chulo mal agradecido. Ingrato.

Los improperios se sucedían en cadena interminable, iban a perderse por la ventana y se diluían expulsados en las sombras de la noche, en el vacío.

—Ingrato. Dejé a mi marido por seguirte. He sacrificado todo por ti. Desgraciado. Te mataré. ¿Qué tiene esa profesora mosquimuerta?

Los pasos del hombre se escucharon cadenciosos, pausados, firmes sobre el suelo de tabla. Hubo un intervalo de silencio, como si ella se escurriese a un rincón, daba la impresión de que retrocedía apresurada. Sonaron tres disparos. La baronesa lanzó un alarido y se desplomó en el suelo con un golpe seco. No se sabía de dónde habían venido los disparos. Si de la ventana de tela metálica, si de los tramos interiores, si del techado de cinc, si del mismo aposento. Wernolf apareció en el umbral. Tenía las manos crispadas y empuñaba el revólver. Colvin estaba herido en el hombro derecho y sostenía una pistola con la mano izquierda, la sangre manaba abundante enrojeciendo su sombra. Cuando escuchó las pisadas se revolvió como un tigre y disparó. Wernolf apretó el gatillo. El hombre no tuvo tiempo de mover la cabeza, se derrumbó igual que un costal que perdiese el equilibrio, las manos en alto, la nariz se le torció en la caída, las piernas quedaron desparramadas. Wernolf no temblaba. Estaba de pie con los pantalones rotos y la mirada fija. Esperó un momento y se inclinó en el suelo. Ya no respiraba ninguno, sólo la sangre fluía ensuciando la madera. Las manchas se agrandaban sin que pudiese detenerlas, descuajarlas. Olía a sangre fresca, a sudor comprimido, a carne chamuscada. Todo había terminado. Se arrodilló ante el cadáver de ella y le bañó el rostro con su llanto, la besó en los labios, le acarició la cabellera, y se perdió en la oscuridad. Lindemann y su hijo le esperaban en la parte alta del terreno. Llevaban sus armas en la mano.

—¿Qué ha sucedido? ¿Mataron a la baronesa?

—Creo que Colvin mató a la baronesa.

—¿Dónde está Colvin?

—Es también cadáver. Yo lo maté. Te necesito para que me ayudes a enterrarlos, a limpiar la sangre antes de que sea demasiado tarde. Pensé que podíamos arrojarlos al mar, pero la playa está muy distante. Demoraremos demasiado tiempo. Además, podrían flotar los cadáveres y ser recogidos por alguna embarcación. Es necesario enterrarlos en el monte, cubrir el suelo con piedras, no dejar huellas. Anda, saca un azadón y vente conmigo.

—¿Por qué tengo que ayudarte, encubrirte? Si llegan a descubrirme me mandarán a la cárcel.

—Déjate de tonterías. Tú me incitaste. Eres tan responsable como yo. Te daré todo lo que poseía la baronesa que me corresponde por derecho. Sólo me llevaré lo indispensable.

—¿Incluso el baúl donde guarda los vestidos y las pieles que tanta falta le hacen a Matilde?

—Incluso el baúl. No puedo llevármelo ni me hacen falta prendas femeninas. Anda, date prisa.

Los tres se internaron entre los arbustos, buscando un lugar apropiado que no estuviese demasiado cerca ni tampoco muy lejano. Debía estar ubicado fuera del perímetro de las trochas. En algún punto de la región que no produjera sospechas, donde no se notase que la tierra había sido removida. Cuando llegaron a un acuerdo se pusieron a cavar la fosa. Trabajaban por turno, sudorosos, con un frenesí de atormentados. Fueron a la barraca para trasladar el cuerpo de la baronesa. Dos la sostenían por los hombros, otro por los pies. El cadáver pesaba. Los minutos pasaban como una eternidad. Avanzaban paso a paso, desfallecientes. El chico tenía la mirada fija y resbalaron dos lágrimas por sus mejillas. Por fin la arrojaron en la tierra virgen. La dejaron desnuda y regresaron por el cuerpo de Colvin. Quemaron los despojos. Echaron paladas de tierra hasta que desaparecieron los rastros, igualaron la superficie, la cubrieron de ramas, de piedras esparcidas en los contornos. No pronunciaron palabra. Un impulso febril y demoníaco les alentaba. Vivían el último episodio de un melodrama que les había torturado cerca de dos años. Volvieron a la barraca abandonada. Limpiaron el suelo con agua fresca, fregaron la sangre que se había coagulado, desordenaron los muebles, desparramaron la ropa, como si hubiesen salido en fuga precipitada, como si hubiesen promovido una lucha cuerpo a cuerpo.

—Mañana —dijo Lindemann— irás donde el doctor Weinhardt y le dirás que la baronesa ha dejado la isla. En días anteriores dijo que esperaba un yate que debía conducirla para realizar un viaje. Lo ha hecho otras veces. Le dirás que no te encontró y que dejó un recado a Matilde diciendo que no volvería. Pasarán muchos meses, quizá años, antes de que se den cuenta de que ha desaparecido o que no ha llegado a otro lugar. Conserva tu sangre fría; de ello depende tu pescuezo. Ahora ven a dormir en casa.

—No —dijo Wernolf—. Me quedaré en "El Paraíso".

La noche anterior el doctor Weinhardt regresaba después de haber transmitido el informe mensual sobre los sucesos de la isla cuando escuchó los disparos. Diose cuenta de dónde venían y le llamó la atención que no se produjeran en despoblado, sino que provenían del interior de la casa de la baronesa. Se encaminó con cautela por los alrededores. Nunca se supo lo que vio y escuchó o si sólo presintió el desenlace de los acontecimientos. Cuando retornó al plantío despertó a Grete.

—Acaban de cometer un asesinato —dijo.

—¿Dónde? ¿Cómo lo sabes?

—En la casa de la baronesa.

No hizo otro comentario.

242

Ella lanzó un gemido entrecortado y se tapó el rostro con la frazada. No preguntó nada más porque sabía que no tendría respuesta. Los más extraños presentimientos atormentaban su cerebro. No pudo conciliar el sueño y se levantó al amanecer.

El doctor Weinhardt escribía sobre la teoría de los cuatro mundos. Aceptaba la existencia del mundo material, el mundo psicológico, el mundo filosófico y el mundo religioso. Para él el trabajo manual era fruto del mundo material y físico. Consistía, por ejemplo, en transformar una tierra virgen en una fértil que produjera frutos. El mundo psicológico analizaba lo que hay de bestial en el alma humana para combatirlo. El mundo religioso era la capacidad para ligarse al universo y a los deberes que éste con su fuerza creadora ha confiado al hombre.

De pronto entró Paul Wernolf. Había penetrado sin hacer ruido y allí estaba más blanco que una sábana, con las pupilas desorbitadas, los brazos lastimados, la camisa hecha jirones.

—Profesor. Vengo a decirle que la baronesa y Colvin se han marchado. Hace un tiempo me dijo que se irían porque estaban cansados de esta isla. La baronesa ha ido a buscarme y en vista de que no me encontrara ha dejado un recado a Matilde. "El Paraíso" está abandonado.

—No ha llegado ningún yate —dijo el profesor.

—Puede haber llegado alguno sin que nos diéramos cuenta.

—No ha llegado ningún yate —repitió—. Si usted está convencido de que se han ido, vamos a efectuar una inspección y suscribiremos un acta para dejar constancia de la partida de la baronesa.

Tapó la máquina de escribir y echó a caminar con paso resuelto hacia el plantío de los Lindemann. Los dos confirmaron lo dicho por Wernolf. La baronesa y Colvin habían partido intempestivamente. Creían haber visto la llegada de un yate. Los cuatro fueron al barracón. Todo estaba allí en completo desorden. El doctor actuaba con plena determinación y seguridad, como si estuviese enterado de que los huéspedes del hotel no regresarían jamás. Procedieron a suscribir un documento.

—¿A quién coresponden las pertenencias y todo lo que la baronesa poseía? —dijo el doctor.

—Me corresponden a mí. Yo ayudé a financiar la expedición. Si ellos se han marchado, soy el legítimo propietario. Pienso salir de la isla en la primera embarcación que llegue. Estoy dispuesto a negociar mis pertenencias para obtener unos cuantos dólares que me servirían para mi viaje a Guayaquil, donde arreglaré mis papeles antes de regresar a Europa.

—Está usted en su derecho —exclamó Weinhardt.

Señaló objetos que le interesaban y convinieron un precio convencional. Lo demás quedaría en poder de los Lindemann.

Una vez instalado en su mesa de trabajo, el doctor se puso a redactar dos cartas. La una iba dirigida al capitán Harrison, quien debía estar de regreso en San Francisco. En ella decía, entre otras cosas: «Espero que usted venga a la isla. Entonces le contaré lo que no puedo escribir, porque no tengo pruebas de ello. Aquella noche yo oí disparos y los gritos de muerte de una mujer. Sólo podía tratarse de la baronesa. Y el único que pudo haber hecho estos disparos es Gunter Lindemann».

La segunda estaba dirigida a un diario de Guayaquil y comunicaba la desaparición de la baronesa, acusando a Lindemann de ser el autor del delito.

XIII
Isla Marchena

PAUL WERNOLF no paraba en ninguna parte. Vagaba otra vez sin rumbo determinado por las rugosidades de la isla. Se sentaba en los piedrones y permanecía horas enteras atisbando el horizonte. No divisaba ninguna vela que se aproximara, ningún bote, ninguna piragua que flotase en el mar. Habían transcurrido cerca de dos meses y Varanger no regresaba. Era verdad que el tiempo se presentaba malo para navegar. En la playa quedábase horas enteras, horas inacabables de un tiempo que se había detenido. Tosía penosamente, desgastado por la espera, el sistema nervioso deteriorado por las convulsiones de su espíritu. Sabía que la enfermedad le minaba el cuerpo a pasos agigantados. Sabía que la caverna se ahondaba en su pecho enflaquecido, sabía, en fin, que tenía que morir tarde o temprano, mas el optimismo de la fiebre constante hacía renovar sus esperanzas, le drogaba la mente de optimismo. Desde el alcor de sus sueños continuó avizorando las olas hasta que apareció la lancha de Varanger, cuyo motor crujía contra el viento y el reflujo del agua. No quiso esperar. Se lanzó en la corriente desafiando las rocas, olvidando los tiburones, nadando como un perseguido hasta alcanzar la embarcación.

—¿Por qué has demorado tanto tiempo?

—Porque no me dieron órdenes de regresar antes. El plazo ha sido más largo de lo que me imaginaba. ¿Tienes el código?

—Sí. Ellos están muertos.

—¿Los dos?

—Sí. Los dos. Ahora tienes que sacarme cuanto antes de la isla. Llevarme a San Cristóbal para esperar un transporte que me conduzca a cualquier sitio del mundo. No puedo esperar más. Estoy enfermo.

—Tengo otras instrucciones —dijo Varanger—. Si tienes la clave, deberé conducirte a Santa Cruz para confirmar las órdenes e informarles lo que ha sucedido. Ir a San Cristóbal sería peligroso. Allí están las autoridades y podrían someterte a indagaciones y registros. Iremos a Santa Cruz y de allá, si no han cambiado de modo de pensar, te llevaré a un punto del Pacífico cercano a la isla Marchena. Nos esperará un pesquero con bandera panameña. Lo tienen fletado los rusos con la etiqueta de una compañía de pesca. Ellos te llevarán a Colón, y después no sabré decírtelo. Consideran que no debe quedar el menor rastro de tu persona. Nadie deberá saber dónde te encuentras.

—No quiero ir a un lugar desconocido. Intento regresar a Europa.

—Tendrás que ir a donde te lleven. Las órdenes de Moscú no se discuten.

—¿Y los cinco mil dólares?

248

—Supongo que ellos te los entregarán cuando hayas justificado tu misión.

Desembarcaron y fueron a la barraca. Daba la impresión de que nadie hubiese habitado nunca allí. La lluvia tardía había hecho crecer la maleza, el huerto se ahogaba, el jardín desaparecía entre la hierba anudada. La borrasca hacía temblar las láminas de cinc. Wernolf se vistió con el mismo traje que había llegado, comprado en un bazar de París. No recogió otra cosa que su maleta de cuero. Allí guardaba el código, todos los papeles y joyas de la baronesa. La tenía bien escondida. Fueron donde el doctor Weinhardt y donde los Lindemann a despedirse. Estos últimos les acompañaron en el trayecto sin pronunciar palabra. Desde la playa les vieron partir. El motor empezó a vibrar y se alejó en la inmensidad. La silueta de las colinas ondulantes fueron desdibujándose, se achicaron igual que fragmentos mientras ganaban distancia. El bote se balanceaba en las aguas tranquilas. Desde el fondo del mar emergían monumentales farallones de lava petrificada que formaban encajes negros. Los atravesaron bordeando las salientes que caían perpendiculares en el mar. En las cumbres se posaban pájaros raros, con pintas de colores. El guano les circundaba con manchas blanquecinas y rosadas. Llegaron a Santa Cruz. La barca se detuvo lentamente con el motor apagado, arrastrada por la corriente. Las calles de greda se abrían a los costados entre casas rústicas de madera y bloques pedregosos. Más adentro, los árboles extendían sus brazos en un laberinto de ramajes. Allí no escaseaba el agua. Venía de las cumbres rodando por el roquerío y se mermaba en gran parte entre las grietas, en las hendiduras de los peñascos. La casa de Varanger estaba rodeada de platanales, tenía habitaciones espaciosas y muebles confortables, adquiridos sin duda en canjes con los pesqueros japoneses.

—Voy a comunicarme con Divo —dijo Varanger.

Volvió tarde, de anochecida.

—Tenemos que salir mañana, antes del amanecer. Dice que cerca de la isla Marchena nos esperará el pesquero. Yo debo acompañarte. Desconoce nuestro paradero final. El negro Vicente María regresará con la lancha. El negro es hombre de Divo y conocedor de estos mares; fue marinero del "San Cristóbal".

—¿Adónde nos llevan?

—No lo sé. Espero que no sea a Moscú.

Durmieron hasta el alba. Metieron en una cesta una magra ración de comida, tres botellas de agua, la máquina de fotografía de Wernolf y transportaron un tarro de gasolina. Llenaron el motor y guardaron el resto. Vicente María les esperaba. Los cabellos erizados, las cejas muy negras, los labios abultados. Un pantalón de lienzo le cubría hasta media pierna, como también una camiseta de color indefinido. Llevaba un ancho sombrero de paja en la mano e iba descalzo. El mar y las sombras les envolvieron mientras el motor tosía, se paraba y volvía a toser hasta calentar los piñones. Cuando clareó la mañana lloviznaba, el ambiente se presentaba brumoso y el mar se encrespaba con las olas bravías que mojaban los bordes y llegaban hasta los asientos de tabla.

—Mala época para navegar —dijo Varanger.

El negro Vicente María estaba parado en popa como una figura de bronce; manejaba un remo largo con el cual esquivaba las olas cuando éstas arremetían de lado. Sus ojos indiferentes escudriñaban el horizonte y se alertaban cuando una maniobra inesperada exigía desviar la barca. Navegaron casi todo el día porque el viento y el mar picado les frenaba el avance. Pasaron la línea equinoccial y se remontaron entre los 82º15'. Ninguna embarcación se perfilaba a lo largo y a lo ancho. En verdad que la neblina era espesa y cubría con una cortina los contornos. Comenzaron a dar vueltas por el océano igual que moscas aferradas a una balsa flotante. No encontraron ningún pesquero.

—Voy a enfilar para la Marchena —dijo Varanger—. No podemos esperar que sea de noche. Sería peligroso. Negro, ayúdame.

El barco fue avanzando en el aguaje hasta divisar la Marchena. Era un islote de lava negra y endurecida del cual no brotaba una sola gota de agua dulce. Varanger y Wernolf echaron el bote de remos para dirigirse a la costa. Llevaban las escasas provisiones y la maleta de cuero.

—Negro —ordenó Varanger—. Anda a darte una vuelta para ver si divisas algún barco. No más de una hora y cuidado con la corriente.

Vicente María obedeció de mala gana. Internóse otra vez solo por la marea y siempre de pie, tambaleándose en el vaivén, fue alejándose de la orilla. La gastada embarcación luchaba contra las olas; el motor había superado la capacidad de su potencia. Principió a trabucar en intervalos cada vez más cortos hasta que terminó por pararse. En vano Vicente María trató de hacerlo funcionar de nuevo; se encendía y volvía a apagarse hasta que enmudeció. La barca quedó a la deriva, las olas la arrastraban igual que un cascarón. Nadie lograría detener al "Dinamita", que se precipitaba irremediablemente en la corriente, era la corriente de Humboldt que venía turbulenta del Antártico y se desviaba formando un recodo peligroso. Ninguna fuerza humana conseguiría detenerla; incluso los grandes veleros sucumbían a su poder inexorable. El "Dinamita" y el negro emprendieron una vertiginosa carrera por un mar tan extenso que nunca imaginaron su existencia. No los encontrarían jamás.

En vano Gunter Lindemann registró cuidadosamente el baúl de la baronesa. Estaban los vestidos, las pieles y otras prendas secundarias; pero habían desaparecido las joyas y en el doble fondo no quedaba un solo papel. Paul Wernolf era más astuto de lo que había pensado. Posiblemente no había sido un simple sirviente y amante circunstancial de la baronesa, sino quizás un socio en la intrincada tarea del espionaje. Salvó el código y se lo llevó consigo. ¿Quién sabía dónde? Probablemente regresaría a poder de los agentes del Japón. En todo caso, había sabido disimular con inteligencia las actividades fundamentales que le llevaron a la Floreana. Debió desconfiar de él cuando desapareció del bohío y luego no logró retenerlo en su ausencia intempestiva de la cacería. Sin embargo, se le veía tan desafortunado, tan despiadadamente maltratado por la vida, que no parecía alimentar otra inquietud que su pasión por la baronesa. Lindemann no disponía de ningún enlace con el mundo exterior, ni radio ni palomas mensajeras como tenían los otros. Cuando le dieron instrucciones nada le dijeron sobre las posibilidades de asuntos imprevistos. Debía esperar solamente contactos personales con personas que llegaran indistintamente. Si hubiese dispuesto de algún medio de comunicación quizá sus poderosos superiores estuviesen en condiciones de perseguir a Wernolf, localizar su paradero, secuestrarlo en algún puerto. Estuvo a punto de recurrir al doctor Weinhardt. Lo importante era que el Servicio de Información alemán se mantuviese enterado de lo que había ocurrido. Pero las instrucciones habían sido terminantes. Por ningún concepto el Partido Nazi debía conocer que el ejército tenía sus agentes propios que no figurasen en los registros oficiales. Era más prudente permanecer a la expectativa. Explicaría a los delegados del capitán Funk que él había hecho lo humanamente posible; pero que el otro se le adelantó y no hubo medio de interceptarle, a no ser utilizando la violencia, que hubiera descubierto todos los planes, tanto más que no estaba solo, le acompañaba Varanger, quien había dado pruebas de ser hombre resuelto. Lindemann pensó que ahora que todo había terminado tal vez le dejasen tranquilo. Aspiraba a cultivar la chacra, construir otra vivienda, vivir sin sobresaltos dedicado a su familia. El doctor Weinhardt también le estorbaba. En los últimos tiempos había adoptado una postura de rigidez absoluta de desprecio, una posición de misterio que advertía que conocía el secreto.

Sabía que sus relaciones con Grete se habían tornado intolerables. Reñían constantemente, quería marcharse y él no la dejaba. Ella andaba como loca en la isla. Iba perdiendo carnes y se le veían los huesos de los costados. Sin darse cuenta, Lindemann llegó hasta el plantío del profesor. Estaba podando las plantas.

—¿Qué hay, Lindemann? ¿Tiene alguna cosa importante qué decirme?

—Nada, profesor. Hacía tiempo que no le veía y quería saber si se encontraba bien, si deseaba que le trajera pescado a cambio de algunas frutas que me hacen falta.

—Si tiene usted pescado podemos hacer un intercambio.

El doctor Weinhardt le quedó mirando inquisitivamente, con cierto desprecio. Hacía tiempo que se preguntaba a quién servía ese Lindemann. ¿Operaba con los americanos? Creyó llegado el momento de plantearle una pregunta sin ambages.

—Usted sabe que la situación va tornándose cada vez más difícil en el mundo. Alemania se prepara para una guerra e intenta vindicar el Tratado de Versalles. Vendrá un largo y sangriento conflicto mundial. Dígame usted, ¿en caso de guerra prestaría usted sus servicios a otra potencia por odio al nazismo?

Lindemann permaneció acorralado, meditó su respuesta.

—Estoy lejos de mi patria, en un lugar desierto. ¿Cómo podría hacerlo?

—¿En el supuesto caso de que usted pudiera ayudar en cualquier parte?

254

—Profesor. En este caso, ante todo soy alemán.

El rostro adusto del doctor se relajó un tanto.

—Si es así, que Alemania le proteja en su futura grandeza.

El doctor Weinhardt regresó a efectuar su paseo matinal en los alrededores del Cerro de las Monturas. Andaba preocupado por los últimos sucesos de la isla. La extraña actitud de los habitantes que quedaban no le infundía ningún sosiego. Desconfiaba de Grete, que en los últimos meses casi no le hablaba. Había perdido su postura sumisa de los primeros años. Siempre le decía que anhelaba marcharse para siempre. Tantos años de vida en común le habían ligado a ella con vínculos indestructibles. Le hacía falta una compañera en su destierro, una persona que cuidase de la casa, que preparase la comida, que le ayudase en el diario bregar. Grete era frágil, indolente, carente de iniciativas; pero se había acostumbrado a estar junto a ella aunque fuese sin hablar. Era verdad que en muchas ocasiones él había procedido con inaudita dureza, con cierto sadismo inconsciente. Cuando se hirió la pierna quedó tendida largo tiempo sin que le prestase auxilio. Le molestaba que fuese tan inhábil en el manejo de sus facultades. Una vez que examinó la lastimadura constató que presentaba síntomas más serios de lo que había imaginado. Los vidrios penetraron profundamente en la carne. No fue posible suturarle la herida y los músculos quedaron encogidos; desde entonces sería una baldada que cojeaba al caminar. La desaparición de la baronesa y sus amantes le tenía sin cuidado. Es más, sentía una morbosa satisfacción de haberse librado de ellos. Nunca se entendieron los dos. El fue durante largo tiempo el único amo de la isla. A su plantío acudían todos los visitantes de los yates y le traían cuantiosos presentes. Conocía la existencia licenciosa de la baronesa. No era mujer equilibrada. No en vano había escrito poco antes a las autoridades: "No he examinado científicamente a esa mujer, pero las referencias que tengo de ella confirman mi sospecha de que se trata de una desequilibrada espiritual que se traduce en megalomanía". La pugna moral entre sus amantes convirtió a "El Paraíso" en un antro de pasiones frenéticas e insondables. Corrompió al hijo de Lindemann despertando sus instintos de adolescente sensitivo y enfermizo, sin dejarle después reposo. Nadie podía remplazarla en los embates del sexo exacerbado del muchacho, no había otra mujer para calmar la sangre enardecida por el tráfago a la intemperie, el vigor del cuerpo lacerado por el sol, el yodo del mar, la arena radiactiva que invadía la atmósfera de ozono cuando se acercaban las tormentas.

El doctor Weinhardt salió para iniciar sus labores. Cuando pasó frente al gallinero ubicado al otro extremo de la casa algo llamó su atención. Las aves no picoteaban, ni el esbelto gallo que había importado lanzaba sus cantos habituales. Esparcidos aquí y allá yacían los cadáveres inertes, recostados en la tierra como si hubiesen sido diezmados por un poder invisible. El doctor dio una vuelta desconcertado, contemplando el panorama. ¿Se trataría de una peste? No hubiesen muerto todas las gallinas en forma tan repentina. Experimentaba singular predilección por sus aves de cría; las cuidaba, las observaba orgulloso, tuvo siempre la precaución de que no les faltase el agua. Le habían atribuido la reputación de ser vegetariano. Nada le proporcionaba más deleite que tomar un buen caldo o comer una chuleta de cerdo. Se inclinó y examinó los residuos. Aún quedaban los rezagos del alimento ingerido. Logró recoger un puñado de polvo grueso, lo guardó en el bolsillo y se llevó uno de los cuerpos inertes. Colocó los fragmentos en el microscopio; constituían una mezcla de maíz agorgojado, harina seca de pescado descompuesto y restos de un insecticida que no le fue posible determinar. Ellos no usaban esos ingredientes: él no hubiera alimentado a las aves con esa mixtura letal. Examinó la carne gelatinosa y blandengue que se escurría entre sus manos, hizo la bisección en la piel viscosa. Las gallinas habían muerto intoxicadas.

—Grete —dijo el profesor—, han intoxicado a las gallinas. De mi esfuerzo de tantos años no queda nada.

Ella le miró como ausente sin comprender lo que le decía. Tenía la tez verdosa, los músculos descuajados, los pies descalzos.

—¿Que los han envenenado? ¿Quién podía hacerlo?

—No lo sé —respondió el profesor—. No lo sé y no quiero saberlo. Les han echado una mezcla descompuesta que nosotros no tenemos. No están envenenadas, están intoxicadas y por lo tanto se las puede comer después de una buena cocción a una temperatura elevada. No podemos desperdiciarlas, habrá que utilizar ese alimento mientras sea posible.

—Puede producirnos malestares si están descompuestas. Mejor sería deshacerse de ellas y quemarlas.

—Te digo que no están descompuestas. Es suficiente una elevada cocción. No pierdas el tiempo y prepara la comida.

El doctor Weinhardt dejó la chacra y se alejó por la senda que conducía al Cerro de la Paja. Grete quedó sola en el pasillo, sumida en sus cavilaciones. El otro no volvería nunca más. No sabía si estaba en el fondo del mar triturado por los escualos o en el vientre de la isla comido por los escarabajos. Sabía solamente que jamás volvería. ¿Quiénes lo asesinaron? Presumía, lo adivinaba sin lograr determinar con contundente certeza. Todos eran asesinos. Todos estaban como insensatos. Ella también. El furor del mar, el vendaval, el silencio de las noches infinitas habían minado los cerebros, habían exaltado las pasiones, les convertían en instrumentos ciegos de la muerte. ¿No habría sido el profesor el instigador del crimen? ¿No le habrían delatado sus erranzas por los confines del islote? La corriente de sus nervios convulsos le hacían trepidar entera. Nunca saldría de allí. Acabaría como los demás, exterminada por una fuerza secreta, telúrica, que les perdería a todos. Sin embargo, deseaba vivir y evadirse para siempre de esa tierra maldita. Los huesos, las carnes, las presas deshechas bullían en la cacerola. ¿Y si contenían veneno? Los dos morirían tirados en el laberinto de los guayabales. ¿Y si moría solamente el profesor? Entonces podría huir, alejarse para siempre, romper las cadenas de su libertad perdida. Esta era la única oportunidad que le restaba. Las gallinas hervían. Ella no las había envenenado; pero podía envenenarlas ahora sin que nadie se diese cuenta ni pudiesen acusarla. Murieron en el gallinero con tóxico indeterminado. Recordó el frasco. El doctor conservaba entre sus medicinas un pomo que contenía arsénico. ¿Si añadía una dosis a la carne descompuesta? La desesperación le sacudió las piernas. Permaneció indecisa. Poco a poco las manos temblorosas extrajeron el polvo blanco, letal. Lo regó entre las vísceras, en las costillas, en el cebo de la pechuga amoratada...

Al día siguiente el doctor Weinhardt se sintió mal. Un malestar indefinido le conturbaba. Sintió la necesidad de echarse en el camastro. Un sabor de tinta amarga le fluía de la garganta y una sed devoradora le corroía las entrañas. Bebió exasperado el agua fresca del pilón. Sentía un terrible sofoco y le faltaba el aire. De pronto, una náusea incontenible no le dio tiempo a volver la cabeza y vomitó en la frazada. Un temblor helado le sacudía de las canillas a la cabeza y abundantes gotas de sudor empapaban su rostro mientras sus ojos de dimensiones dilatadas miraban desorbitados. Grete sintió que las fuerzas le flaqueaban; el rostro contraído del doctor la mantenía clavada en el piso. La miraba con odio. Parecía que en cualquier momento iba a levantarse y echarse sobre ella para estrangularla con un poder sobrehumano. Echó a correr. Corría como una azogada. El muslo le lastimaba. El tiempo se paralizaba en el avance. El terreno no acortaba las distancias. Llegó donde los Lindemann. Sólo encontró a Matilde, la execrable enemiga. No tenía tiempo de reflexionar. Necesitaba un ser humano que la escuchase, que estuviera con ella, que no la dejara sola frente a ese macabro espectáculo.

—Venga conmigo —le dijo suplicante—, el doctor Weinhardt se muere. Ha comido carne de gallina envenenada y está al borde de la muerte.

Dejóse caer desfallecida en una butaca. Jadeaba. No podía respirar, el sudor le empapaba la frente. Matilde escribió apresurada una nota para Lindemann. Recogió una lavativa y juntas emprendieron el interminable retorno. Grete ya no estaba en condiciones de caminar de prisa. Renqueaba. Se sentaba en las piedras y volvía a incorporarse para proseguir.

El doctor Weinhardt gemía en el camastro presa de inauditos sufrimientos. La lengua se le había endurecido igual que un cuero amortiguado. Daba gritos incoherentes. Tenía la vista nublada y producía la sensación de que ya no veía. Pero no era así, podía divisar sombras desdibujadas. Una respiración ronca se desprendía del tórax, la boca exhalaba un aliento metálico. Levantaba los brazos señalando la mesa, las cuartillas de papel cuidadosamente amontonadas. Comprendieron que intentaba escribir porque no podía hablar. Le trajeron un papel y deslizaron un lápiz en su mano. Parecía escuchar con rabia lo que susurraban las mujeres. La cabeza se inclinaba contra el pecho y mantenía las pupilas desmesuradamente abiertas con una mirada torva y siniestra. Grete recordó la morfina y se deslizó en el pasillo para enchufar la aguja, aproximándose al cuerpo maloliente que se incorporó agresivo para rechazarla. Lindemann entró en ese momento en el *bungalow*, se acercó temeroso al doctor. La máscara de la muerte se reflejaba en un semblante violáceo. Intentó hacer un supremo esfuerzo y garabateó en la cuadernilla su último testamento.

«Te maldigo en el último momento».

Miraba a Grete como un energúmeno, con las córneas sanguinolentas que se desprendían de las cavidades, el odio inextinguible marcado en las facciones. Grete lanzó un alarido y desapareció en la luz opaca del atardecer. Lindemann escribió una frase y se acercó al moribundo: «Estoy al servicio del ejército alemán». El doctor Weinhardt pareció serenarse y se desplomó impotente. Lindemann estrujó el papel y lo guardó en el bolsillo. El sudor chorreaba en las mejillas desencajadas del doctor. Intentó retirar las sábanas, mas los dedos no respondían. Una lágrima de sudor o de consuelo se deslizó en la piel. El pecho se comprimía y se ensanchaba. Los ojos se apagaban igual que cirios que se consumían sin la reserva de la última cera. De pronto miró fijamente a la distancia y expiró.

Le enterraron en un ángulo del plantío, antes cubierto por un pedregal que él mismo había limpiado, junto a las cúpulas de los papayales, entre el olor de los naranjos y limoneros, custodiado por los platanales y tamarindos. Una cruz de madera silvestre sostenía una tabla pintada de blanco con el nombre y la fecha equivocada de su muerte. El hierbajo crecería en torno de sus huesos y el paso del tiempo volvería a enmarañar los contornos que desbrozó con sus brazos nervudos de hombre que supo amar la soledad que producían las rajaduras de lava que surgieron por erupciones submarinas configurando un paisaje encantado de trazos negros, romboides, donde una vez creyó encontrar la paz.

XIV
Isla San Cristóbal

TRES MESES atrás la prensa había publicado un despacho del jefe territorial de Santa Cruz: «Efectuando el recorrido de las islas Santa Cruz, Floreana, Isabela y Barrington los habitantes de dichas islas no han dado razón sobre el buque americano "Belle Ile". Igual cosa ha pasado con la lancha "Dinamita". Además el señor Stampa ha efectuado un recorrido de búsqueda por Santa Cruz».

Corría el 17 de noviembre de 1934. La goleta del capitán Rodríguez avanzaba a toda marcha por el mar picado. Nunca el viento había soplado con rebotes tan glaciales ni removido tan violentamente las olas en toda su vida de navegante. Las aguas formaban montañas que se abrían dejando enormes vacíos. El barco desaparecía, pero volvía a surgir haciendo crujir su casco frente a las costas de Marchena, cuidando el piloto de no desviar el rumbo ni aproximarse a la desembocadura de la corriente de Humboldt. El capitán no llevaba uniforme ni la gorra reglamentaria en el servicio.

Era un negociante privado en la pesca del atún. Un sombrero gris con cintillo negro, echado para

263

atrás, le ceñía la cabeza. Llevaba una chaqueta oscura y un pañuelo de color anudado en el cuello, entre la camisa abierta. Su segundo de a bordo ni siquiera usaba chaqueta, sino una camisa suelta. Tenía el pelo revuelto, la barba muy crecida y el caminar oscilante de un experimentado lobo de mar. El ayudante del capitán, no obstante la escasa visibilidad, divisó en la ribera un palo retorcido que agitaba en la extremidad un trozo de lienzo blanco. Aquello significaba en el lenguaje de los marinos una llamada de auxilio. Escudriñó con sus ojos de águila, pero no vio ningún barco ni siquiera un bote amarrado en la orilla. Creyó de su deber comunicar al capitán y los dos decidieron detener la marcha y echar un vistazo. Los marineros descolgaron un bote y ellos, con dos tripulantes, se dirigieron a la playa. La isla sobresalía del océano como una franja oscura rodeada de acantilados. Una meseta de trescientos metros de altura se juntaba a una llanura cubierta de paja seca. Una luz opaca trazaba ángulos en la superficie cóncava. Ningún árbol surgía en el islote. Lo que vieron el capitán Rodríguez y sus acompañantes les dejó desconcertados. Dos cadáveres yacían momificados sobre la arena; todavía no estaban descompuestos y se podían reconocer las facciones. La cabeza de Paul Wernolf reposaba sobre una piedra. Vestía un pantalón corto y una chompa de lana le cubría el dorso. Tenía las piernas encogidas y una mano sobre el pecho. Menos pálido que en vida, parecía haber muerto sosegadamente. Veinte metros más allá se extendía el cuerpo del noruego Varanger con las manos crispadas en las cuerdas que colgaban del bote de remos que aún llevaba la matrícula de San Cristóbal. Un pantalón doblado le servía de almohada. La boca y la nariz estaban terriblemente hinchadas como una trompa. Daba la impresión de haber fallecido consciente y en un arrebato de desesperación. A un costado estaban dispersas algunas prendas de vestir, una máquina de afeitar, una peinilla, jabón, el estuche de una máquina de fotografía "Agfa". Esparcidos en la arena los restos de langostas, pelícanos, iguanas y un lobo marino descuartizado. Prendieron fuego con el lente de la máquina desprendida del diafragma para cocinar la comida.

El mismo diafragma había servido, entre otras cosas, de combustible. Permanecieron un mes en la desértica isla Marchena y habían muerto de sed.

La pesada maleta de Paul Wernolf reposaba junto a su dueño. Nada quedaba por hacer. El capitán Rodríguez la hizo recoger para trasladarla a bordo.

El "Santo Amaro" volvió a navegar a toda marcha en dirección a San Diego.

Comunicaron por radio lo que había ocurrido. Otro yate surcaba al mismo tiempo las aguas del Pacífico. Era el yate del capitán Harrison, quien había recibido la carta del doctor Weinhardt y navegaba hacia la Floreana a constatar lo que allí había sucedido. Intentaron detener al "Santo Amaro" para cambiar impresiones. Pero el barco se escabulló celoso, sin duda, del secreto que acababa de descubrir por un azar del destino. En octubre de 1934 el "San Cristóbal" había llegado a Guayaquil y se propagó la noticia de la desaparición de la baronesa y su amante. Habían transcurrido más de siete meses antes de que el mundo se enterase de tan extraño suceso. El 17 de noviembre se difundía la tragedia de la muerte de Paul Wernolf y Varanger. El 21 moría misteriosamente el doctor Weinhardt. Los acontecimientos ocurridos en una de las lejanas islas del archipiélago de las Galápagos despertaron la atención de diarios y revistas del mundo. En realidad constituían episodios de contornos novelescos tan ligados entre sí como para despertar el interés del público universal. Reporteros y periodistas se trasladaron a la Floreana en un intento por descubrir los hechos y lanzar noticias sensacionalistas. Poco o nada lograrían aclarar.

Los cuatro sobrevivientes se aferraban a una consigna establecida de antemano. La baronesa había dejado la isla, embarcándose en un yate en marzo de 1934. Pero ¿dónde se encontraban los dos? De haber partido hacia otro puerto del globo, el mundo se hubiese enterado en vista de que siempre buscaron una aureola de publicidad.

Un diario de Guayaquil publicaba un extenso artículo escrito por algún científico escritor que residió en la isla Floreana, y ocho meses en Santa Cruz. Llevaba el título de "Venganza mortal o yate norteamericano".

«¿Quién no ha visto y recuerda la silueta rubia de la baronesa austríaca a su paso por nuestro puerto, de paso para Galápagos? ¿Quién no recuerda la esbelta sirena que hacía resplandecer de oro las aguas de la piscina durante sus inmersiones? ¿Quién no la recuerda paseando sus suavidades aristocráticas por nuestras calles? ¿Quién no ha sabido de su renombre en el mundo de la aventura esnob, repartida a los cuatro vientos por los grandes rotativos del mundo? Colvin era el hombre a quien quería y adoraba apasionadamente la baronesa; en cambio, Wernolf llevaba una vida de perro y fue tratado como un cocinero y peón».

Otro diario publicaba lo siguiente:

«Dicho secreto revelado únicamente a la señora Karin Guteberg de Cobos por la baronesa, cuando ésta permaneció de visita en casa de aquélla, consiste en haberle indicado el sitio donde la baronesa guardaba ocultas sus joyas, que eran un recuerdo de familia, a las mismas que sentía gran estimación. Algunos colonos de la isla Santa Cruz han declarado últimamente haber visto a Wernolf portar una pesada maleta que no abandonaba de su lado. ¿Wernolf no descubriría el sitio donde la baronesa guardaba sus joyas? ¿No había cometido el crimen para apoderarse de ellas?».

El ingeniero Rudolf Reder, colono danés, declaraba que «Wernolf le manifestó que en marzo de 1934 la baronesa y Colvin se habían marchado en un yate inglés con dirección a Sidney (Australia)». El "Santo Amaro" y sus tripulantes llegaron sin novedad al puerto de San Diego. Allí descargaron una cuantiosa cosecha de atún que habían pescado en el viaje. De inmediato el capitán Rodríguez se dirigió a las autoridades. Era demasiado importante lo que tenía que informar. Nunca se conoció el contenido de sus declaraciones. Un despacho de prensa proveniente de San Diego (California) decía simplemente: «Entrevistado el capitán Rodríguez, ha confirmado de la prohibición de revelar el contenido de las cartas encontradas en la isla Charles (Marchena), pero lo que sí puede decir es que lo que allí ha sucedido es demasiado horrible para imaginárselo. "Muchas noches he permanecido despierto, impresionado por los horrores mencionados en las cartas y figurándome lo que allí ha pasado"».

El yate "Stratheden", del capitán Harrison, se detuvo en la Marchena para confirmar lo sucedido. Encontraron los cadáveres con las facciones intactas, resecos por el sol, desfigurados por la sed abrasadora. El capitán, que les había conocido en vida, les identificó y comunicó por radio. Siguió rumbo a la Floreana. Intentaba entrevistarse con el doctor Weinhardt y enterarse de lo que le decía en su última carta. Cuando llegó, las primeras palabras de los últimos habitantes de la isla fueron para comunicarle que el profesor había fallecido.

Le manifestaron que murió por haber comido carne descompuesta y por un ataque de apoplejía. Harrison se retiró con Grete a la barraca del doctor.

—Bien —le dijo—. He venido porque recibí una carta en la que el doctor me decía que han pasado cosas muy graves en el interior de la isla que no podía comunicármelas por correo y que requería urgentemente mi presencia. El doctor le habrá manifestado de lo que se trata. Estoy aquí para saber la verdad. ¿Asesinaron a la baronesa y a Jack Colvin o partieron de viaje?

—El doctor nunca me ha hablado del contenido de esa carta. Usted lo conocía. Era muy reservado.

Hablaba muy poco y no me comunicaba sus problemas ni su modo de pensar. La baronesa dijo a la mujer de Lindemann que había llegado un yate inglés y que dejaba la isla con destino a Australia, que Wernolf debía encargarse de su finca hasta su regreso. Es todo lo que puedo informarle sobre la desaparición de la baronesa y su amigo.

—Cuando se marchó ¿dejó una constancia escrita o un poder para Wernolf?

—No, que yo sepa. Parece que la baronesa tenía mucha prisa y sólo disponía de tiempo para embarcar cuanto antes.

—Sí, el doctor Weinhardt me escribió diciéndome que habían ocurrido sucesos horribles en la isla, ¿no cree usted que se trata de un asesinato?

—No lo creo. Wernolf era demasiado débil y timorato para intentar enfrentarse con los dos. Tenía miedo a la baronesa, quien muchas veces le golpeó y le disparaba perdigones de sal que le laceraban las espaldas y le dejaban maltrecho por mucho tiempo. Es todo lo que puedo informarle. Yo no puedo permanecer sola en la isla; mi vida no tiene sentido; el recuerdo del doctor: él mantenía la chacra. Necesito volver a Alemania. Hacer publicar su obra, vindicar su memoria, hacer conocer al mundo sus nuevas teorías filosóficas. Espero, capitán, que usted me lleve a Guayaquil para desde allí embarcarme hasta mi país.

—No tengo inconveniente en que venga conmigo —dijo el capitán Harrison—. Pasaremos primero por San Cristóbal. Saldremos mañana temprano. Prepare lo que usted quiera llevar; dos marineros vendrán para trasladar su equipaje al yate.

—Llevaré lo indispensable. Dejaré un poder a Lindemann para que se haga cargo de la chacra y de mis pertenencias hasta que pueda volver.

—Lo que usted disponga —dijo el capitán—. Ahora voy a visitar un momento a los Lindemann antes de mi regreso.

Lindemann trabajaba en el campo con aire de fatiga. Dejaba sus labores para encender una pipa y mirar el ruedo con aspecto de inquietud. Era de estatura elevada. La barba le cubría la quijada maciza. Los anteojos, verdes con cercos dorados, le colgaban de las orejas. Cuando vio al capitán echó una bocanada de humo, dejó la herramienta y se aprestó para afrontar otro interrogatorio. Sabía lo que tenía que responder.

—Lindemann. El capitán Funk me ha encomendado decirle lo siguiente: el Servicio de Inteligencia alemán y también el norteamericano están muy satisfechos con sus servicios. Usted perdió la jugada con las cartas sobre la mesa. Un hombre más listo que usted y que ellos ganó la partida. Hemos indagado, Wernolf fue afiliado al Partido Comunista en Alemania y estaba al servicio de Moscú. Igual cosa sucedía con Varanger. Usted no disponía de medios para comunicarse. Sin embargo, el destino ha querido que en esta última instancia la suerte nos sea favorable: la clave está en poder del FBI. Fue entregada por las autoridades de San Diego. Prestará servicios incalculables a quienes intentamos evitar la guerra, y si ésta se presenta, para frenar las maniobras del enemigo.

Dice el capitán Funk que su misión ha terminado. Puede usted permanecer en la isla o trasladarse a otro sitio. Hemos tomado providencias del caso para que las autoridades no le molesten. Si le piden declaraciones se limitará a responder que Wernolf le comunicó la partida de la baronesa y su acompañante. En cuanto al doctor Weinhardt, murió de envenenamiento producido por comer carne podrida.

—Yo envenené las gallinas del doctor, no para envenenarle a él, sino para que se impacientase y se fuera de la isla.

—Alguien se habrá aprovechado de las circunstancias. Lamento más que nadie la muerte del doctor Weinhardt. Era un científico notable. Un hombre de extraordinaria personalidad. En una tierra baldía formó una finca modelo con el tesón y el esfuerzo que siempre ha caracterizado a los alemanes. Infortunadamente, en el año 28 se afilió al nazismo. Era un nazi convencido y uno de los iniciadores del partido. Debe de haber prestado muy importantes servicios. No encontraremos nunca sus papeles. Dígame, ¿piensa usted permanecer en la isla?

Lindemann suspiró con alivio y chupó la pipa.

—Sí, capitán. Pienso morir en ella. Ya no creo en la guerra. He sido herido dos veces. Todo volverá a empezar y terminará como siempre. La destrucción y la muerte no benefician a nadie, ni a vencedores ni a vencidos. Quiero vivir en este mundo apartado, ganar el sustento con mis propios brazos, distante de todo lo que signifique una civilización decadente y enloquecida por el poder y el dinero. Por esto he sacrificado hasta mi propia conciencia.

—Hace usted bien —exclamó el capitán—. Si las circunstancias no varían, algún día volveremos a reclamar su contingente. Que Dios le proteja. Adiós, Lindemann.

Grete se encaminó a la tumba del doctor Weinhardt antes de dejar la Floreana. Vestía un traje verde envejecido. Parecía deprimida, los ojos enrojecidos por el llanto. El burro maltón que el doctor había domesticado después de la muerte del asno salió de la finca y se cruzó en el camino. Ella lo palmoteó un momento, acariciándole el cuello. El gato negro miraba desde la techumbre. Volvería a remontarse para recuperar su estado primitivo de animal errabundo, salvaje, y no volvería más. Llevaba dos maletas: una con las prendas personales y otra con los papeles y libros del profesor. Los músculos atrofiados le impedían caminar. Sentóse a descansar en repetidas ocasiones. Aún faltaba un kilómetro cuando se detuvo sin aliento y fue menester mandar traer una acémila para que la transportara hasta la playa. El pelo castaño se le revolvía con la brisa mientras el "Stratheden" se deslizó en el mar.

En el muelle de San Cristóbal les esperaba el comandante Quintanar y dos oficiales. Había recibido un mensaje por radio del Ministerio de Guerra pidiéndole efectuar las indagaciones pertinentes sobre los sucesos acaecidos en la Floreana. Por otra parte, le comunicaban su traslado. El coronel Andrango viajaba en el "San Cristóbal" para sustituirle. El comandante dio un resoplido de satisfacción. Había recibido noticias de la capital que le anunciaban que el gobierno estaba tambaleante. El ejército había decidido derrocarlo porque no podía encauzar la administración pública. Los ministros duraban meses o días. Las finanzas habían sufrido un quebranto irreparable. Los desfalcos se promovían en todas las dependencias. El país estaba hecho una ruina y el presidente se conformaba con lanzar discursos demagógicos y atacar por rutina a sus opositores y a sus mismos partidarios.

El comandante Quintanar se frotó las manos. El tiempo había confirmado sus temores. Volvería a Quito para sublevar al cuartel que le confiaran en unión de otros jefes de unidades. Después de todo, no le había ido tan mal en su permanencia en las Galápagos. La venta de toros, los impuestos a los colonos, el negocio de pescado, las tasas portuarias, habían nivelado su presupuesto.

—Otra vez los gringos —pensó el comandante, preparándose para inspeccionar el yate y cumplir rigurosamente las últimas disposiciones impartidas por el Ministerio.

Dos oficiales custodiaron al capitán Harrison, a Grete y al intérprete a la Capitanía, donde debía efectuarse el interrogatorio. El comandante se movía con agilidad, con cierto aire marcial, y se cuadraba con frecuencia.

—Tendrá usted que prestar juramento —dijo dirigiéndose a Grete.

—No profeso religión, por lo tanto no puedo jurar —manifestó ella.

«Menos mal», pensó el comandante. Seguramente era liberal alfarista como él y, a lo mejor, enemiga de los curas. Sería clemente con ella y el interrogatorio breve; sólo le hacía falta llenar una página de papel sellado.

—Exponga usted, entonces, todo lo que sepa sobre la desaparición de la baronesa Von Rath y Jack Colvin.

—Supe por el señor Lindemann que se fueron en un yate por el puerto de Post Office y que el señor Paul Wernolf había quedado hecho cargo de la casa, objetos y animales pertenecientes a la baronesa, con atribuciones de vender total o parcialmente. En esta creencia, mi marido, el doctor Weinhardt, compró varias cosas por el valor de cuarenta dólares. El recibo lo tengo en mi poder.

—¿Cómo supo de la ida de la baronesa el señor Lindemann?

—Ese señor me comunicó que la misma baronesa le había dado noticias de su viaje tres días antes de marcharse.

—¿Sospecha usted que la baronesa y su compañero fueron asesinados?

—No, porque Wernolf era solo y los desaparecidos, dos.

—Bien —dijo el comandante—. Eso es todo. Pueden ustedes retirarse.

Cuando el "Stratheden" llegó a Guayaquil, los reporteros y periodistas la esperaban en la ría. Irrumpieron en el camarote de Grete para acribillarla a preguntas. Ella no perdió la serenidad. Daba las mismas

274

respuestas, aunque a veces contradiciéndose. Habló de la sequía excepcional del último verano, que «agostaba las plantas del jardín. Las flores, con sus pétalos marchitos, se inclinaban en el suelo reseco, y ni una nube turbaba el azul clarísimo del firmamento». Declaró que el doctor Weinhardt el día 19 de noviembre salió de cacería y logró matar un puerco salvaje. Había arrojado los desperdicios a las gallinas. Comió esa carne de ave y dos días después se le presentaron síntomas de intoxicación, muriendo el 21. Que ella comió el plato; pero que no sintió malestar alguno. Que se marchaba a Alemania y proyectaba escribir un libro sobre su vida en las Galápagos. Un periodista la describe: «Amable, sonriente y ágil a pesar de que le falsea el paso por un defecto físico, consecuencia de un grave accidente sufrido mientras residió en la Floreana». «Sin ser realmente bella deja una impresión de belleza. Mujer jovial de aspecto juvenil, vehemente».

Grete Riedel se presentó en Guayaquil al Juzgado Tercero de Letras a rendir sus declaraciones ante el agente fiscal doctor Nicolás A. Morán. Manifestó haber nacido en Lichterfelde, Berlín, y tener treinta y tres años. Indicó que la baronesa se había instalado en la parte alta de la isla, cerca de los Lindemann. Que de la casa del doctor Weinhardt a la de la baronesa había dos horas de camino. La baronesa había desaparecido el 28 de marzo y ella se informó por referencias de Lindemann; Wernolf partió con Varanger, quien iba a la isla para vender víveres.

Grete Riedel se embarcó en el primer barco que salió con rumbo a Panamá y luego a Alemania. Los periodistas no quedaron satisfechos y siguieron insistiendo en que en los eventos de la Floreana había ocurrido más de un asesinato. Demasiados factores y circunstancias inexplicables rodeaban los episodios de las Galápagos. El diario *El Universo* se mostró intransigente: «Nadie sabe nada a excepción de los Lindemann y Greta Riedel, con quienes las autoridades han sido torpemente indulgentes; debieron ser presionados mediante su apresamiento para que revelen toda la verdad que ocultan pertinazmente». «El interrogatorio del jefe territorial es deficiente por dar poca importancia a detalles reveladores, prefiriendo preguntas directas fáciles de eludir». «Sin embargo, algunas de las preguntas hechas así produjeron desconciertos y contradicciones notables en las declaraciones».

El gobierno creyó oportuno aplacar a la opinión pública e impartió instrucciones a su funcionario diplomático en Panamá para que recabara de las autoridades nuevas indagaciones. Grete Riedel salió una vez más airosa de la prueba y logró embarcarse para Alemania. Antes de hacerlo declaró que había constatado en la Floreana la presencia de pesqueros japoneses y preguntó por qué no vendían el archipiélago, en vista de que en Guayaquil había calles con medio metro de fango. Una vez en su país escribió un libro contra Matilde Lindemann, *Satan came to Eden*. Nunca regresaría a Suramérica ni a la Floreana, llevándose para siempre el secreto de la tragedia allí acaecida.

Guarnición de San Cristóbal. En el barracón de caña que servía de cuartel, los soldados encerrados corrían de un lado a otro como insanos. Las paredes estaban cubiertas de arriba hacia abajo y de costado a costado por recortes de estampas lúbricas, estampas cuadradas, redondas, rectangulares, amarillentas, fragmentadas, cagadas de moscas, de figuras desnudas: mujeres de pie, mujeres recostadas, mujeres con las piernas extendidas. Piernas, brazos, troncos, espaldas desvestidas. Blancas, rubias, morenas se amontonaban en los tabiques encima de los camastros, sobre las cajas de ropa sin lavar. Olía a sudor, a tabaco, a aguardiente descompuesto, sudaban los cuerpos semidesnudos; se cargaba el ambiente con el aliento fétido de las patas sudorosas que exhalaban un olor de carne rancia. Las moscas giraban sin descanso y se posaban agresivas en los ojos, en las narices, en las bocas de los soldados, drogados. Habían bebido guarapo y andaban como marionetas, danzaban dando saltos verticales, arañaban las paredes, rompían los camastros. A un costado un ancho pondo de barro, rajado, ennegrecido por la suciedad y por el fuego. Aguardiente de caña mal destilado, cactus espinosos, escorias de cenizas, de hierbas, de cáñamo. Allí se orinaban. Recogían la mixtura en mates de madera, la tragaban, sentían que les quemaba el pescuezo, que les enardecía el cerebro, que se les arrancaban las pupilas. Reclamaban mujeres, y mujeres no había. Años, meses, allí abandonados sin encontrar hembras. Las pocas que vivían en la isla eran para los oficiales. Quedaba la "Chancho en bandeja"; pero no se alcanzaba. Habitaba en el monte igual que una cabra, desvestida por los andrajos, las carnes flácidas, las piernas que parecían canillas, los tumores en las extremidades. Sobrepasaba los sesenta años y sin embargo le rogaban; pero ella no se dejaba con todos. Había que mancornar a la vieja emputecida, traerla al barracón, apercollarla entre todos hasta que se hiciese cecina. Los soldados seguían bebiendo, echando escupitajos, desgarrando los tabiques. Al diablo los oficiales, se sentaban en los galones, estaban hartos de tanto trotar en la playa. Querían mujeres, asaltar los bohíos, despedazar a los colonos. Mala suerte, les habían desarmado y no quedaban ni los yataganes. Rompieron la puerta y se dispersaron igual que una partida de toros desmandados. Unos corrieron donde la "Chancho en bandeja".

El comandante Quintanar estaba en el casino con los oficiales y el sargento Valdivia. Habían montado las ametralladoras y bebían aguardiente. El sargento custodiaba la puerta. Aquello ocurría cada tres o cuatro meses. Les venían los brotes de locura; el yodo, el aire afrodisíaco, el recuerdo lascivo de sus mujeres ausentes. Había que dejarles a los maricones que se desfogasen con el guarapo y se intoxicasen con el fermento. Los habían encerrado con candado, pero esta vez hicieron añicos la puerta. Andaban libres como fieras hambrientas y nadie podía detenerles. En otras ocasiones habían quedado allí aprisionados, lanzando denuestos, diciendo blasfemias, encandilados por el aguardiente hasta que se quedaban dormidos.

—La tropa se ha sublevado —dijo el sargento, con la cara embrutecida, las mejillas colgantes y los ojos encapotados por el sueño—. ¿Qué ordena, mi comandante?

—Han vuelto a beber guarapo. Le dije que no les dejara llevar aguardiente a la cuadra. Otra cosa es que beban con los compadres.

—No es culpa mía, mi comandante. Han estado recogiendo el trago a mis espaldas y lo tenían escondido.

—Ya es tarde —dijo Quintanar, matando un ciempiés de un taconazo—. Es tarde y nada podemos hacer. Están drogados y pueden cometer cualquier barbaridad. Demasiado tiempo sin mujeres. Se embrutecen, se encabritan contra la perra suerte. Si vienen por aquí les da el alto a veinte metros y si no se detienen, dispara. Mejor dicho, disparamos. El teniente Palomino y el teniente Revelo defenderán la retaguardia. Yo me hago cargo de los flancos.

—Mi comandante, hicimos bien en desarmarles con tiempo. Los fusiles están en el depósito y las municiones las tenemos aquí en la Capitanía, como usted sabe, mi comandante.

—No creo que pretendan armarse con fusiles; pero sin municiones tampoco harán nada. Aquí no entran.

—No entran, mi comandante. De lo contrario somos cadáveres.

—Esos pendejos están embrutecidos. No están sublevados. No saben lo que hacen. Hay que dejarlos. Nadie conseguirá meterlos en orden.

El comandante Quintanar se sirvió otra copa de aguardiente, se atusó el bigote, escupió en el suelo, se rascó la cabeza y echó una mirada sobre la metralleta que yacía en una mesa contigua.

¡Al diablo con las Galápagos!, pensó felizmente, ya se marchaba para siempre. El coronel Andrango debía llegar de un momento a otro. Acaso después de tres o cuatro días. Que él se encargue de la guarnición, de esa tropa miserable, de los toros, las cabras, los colonos. El estaba harto de contemplar el mar, de no tratar con gente civilizada. Si triunfaba la revolución iría a un alto cargo, edecán del nuevo presidente, adjunto militar, tal vez subsecretario del Ministerio de Guerra. Recordó a Francesca y sintió una extraña fruición. Ahora podía comprarle los vestidos que quisiera, llevarla al Club Pichincha el 6 de enero, comprar muebles y una radiola. ¿Pero si Francesca le hubiera engañado, en tanto tiempo de separación? Arrancó esa idea de su mente y se puso a meditar en los soldados. Andaban dispersos, ya no vendrían a la Capitanía. Sintió un sueño abrumador; pero lo sacudió golpeándose la cabeza. Debía mantenerse en guardia hasta la madrugada.

Al día siguiente, hasta cerca del mediodía, yacían los soldados dormitando en la arena, tendidos entre los peñascales, encogidos en la pendiente, al pie de la choza de la "Chancho en bandeja", que había huido monte adentro, que se había escondido en la maraña. Parecían iguanas, reptiles contorsionados, muñecos de cuerda con gorras de militares que les protegían del sol. El teniente Palomino y el teniente

Revelo, con pistola enfundada en el cinto, les iban recogiendo, pateándoles para que se levantasen, estirándoles las piernas.

—A formar, ¡carajo! —gritaban a cada instante. Por fin lograron congregarlos. El teniente Palomino les arengó. Habían bebido como brutos. Habían roto la puerta de la cuadra. Habían destruido los muebles. Habían faltado al respeto a sus superiores...

—For-mar.

Los hombres se tambaleaban engatillados, con las cabezas revueltas, las ojeras violáceas, las piernas encanijadas.

—Al mar. Carrera mar.

No corrían sino que daban trompicones, atropellándose unos a otros, aguantando codazos, patadas en las canillas. Se sumergieron como una tromba humana en la que flotaban brazos que pedían auxilio, extremidades que sobresalían, cuerpos echados boca abajo que ya se ahogaban. Se revolcaban como puercos en el fango arenoso. El agua helada les quitó la borrachera. Comenzaron a despabilarse, a recordar la víspera, a sentirse nuevamente hombres.

—Por indisciplinados, por pendejos, por ebrios; servicio especial. Sargento y teniente Revelo, atrás.

Comenzaron a correr como desaforados, a tenderse, a levantarse, al trote, al paso, a la carrera. Hicieron flexiones apoyados en las manos, flexiones de las piernas, movimientos del torso. Levantaban el brazo izquierdo, luego el derecho. Respiraban por la nariz, echaban el aire por la boca, hacían la caída facial. Ya se morían, algunos estaban a punto de desmayarse si no les daban el alto.

—Ali-nearse.

El teniente mandó romper filas.

Quedaron exhaustos y la resaca no les dejaba moverse. Fueron a tenderse en la playa. No volverían a emborracharse como hidras sin fondo. No volverían a pedir mujeres ni a fornicar.

El "San Cristóbal" era una goleta vieja, de ochenta toneladas, dotada de un motor de 75 HP. Fue construida en 1880 en los astilleros de Data. Su primer propietario fue Manuel Cobos. El tirano Cobos que había hecho progresar la isla. Era la única sobreviviente en ese recorrido de mares procelosos, peñascos traicioneros y rutas zigzagueantes. Las demás habían perecido destrozadas en los arrecifes o se habían hundido para siempre en el fondo del océano. 680 millas marinas habían superado desde Guayaquil. Llegaba el comandante Andrango con otro oficial de apellido Ricaurte. Los dos se apearon de la lancha para saludar al comandante Quintanar, quien les esperaba con la tropa formada. Presentaron armas. Le dieron el parte respectivo. Los oficiales se fueron al casino.

—Debo partir esta misma noche a las doce —dijo el comandante Andrango.

—¿Por qué tanta prisa, comandante?

—Porque tengo instrucciones precisas del Ministerio de Guerra para inspeccionar la isla Floreana y obtener declaraciones de un ciudadano alemán llamado Lindemann. El Ministerio de Guerra está muy preocupado por la desaparición o el asesinato de la baronesa y de su compañero, por la muerte repentina del doctor Weinhardt. Quieren que deje aclarada esta situación.

—Enredos de los gringos, comandante; nada sacará usted en limpio.

—No importa. Debo cumplir órdenes. A mi regreso de la Floreana usted, comandante Quintanar, me entregará la guarnición y saldrá con el señor teniente Palomino para Guayaquil. Espero que todo esté en orden. Hay denuncias contra ustedes por parte de los colonos. Tengo la misión de informar.

—¿Qué género de denuncias, comandante?

—Ese no es asunto que me corresponde, sino que atañe al Ministerio. Cuando usted se presente le exigirán las justificaciones pertinentes.

—Así es, comandante. En el Ministerio explicaré mi conducta. ¿Cómo va la política?

—Mal. Se temen trastornos internos. Hay oficiales comprometidos en una revolución. No obstante, el presidente es un hombre patriota. No le falta competencia. Ha hecho lo que ha podido para gobernar al país; pero el país anda revuelto.

El comandante Andrango era un hombre rechoncho, macizo, de pelos cerdosos, pero excelente oficial, cumplidor de su deber. Pasaba de los cincuenta años. Tenía reputación de soldado valiente que intervino contra muchas revoluciones internas siempre al servicio de la Constitución.

Comieron todos en el casino en relativo silencio. Andrango sabía que le habían alejado de la capital porque estorbaba, porque apoyaba al gobierno. El presidente hubiera podido intervenir, pero no lo hizo. Era ingrato el señor presidente con sus partidarios y con sus amigos. No tenía la culpa el señor presidente. En su niñez había visto morir a sus hermanos en las esteras empolvadas, de difteria, de escorbuto, de tos ferina.

Los pueblos siempre pagaban la frustración de sus mandatarios. Quintanar, a su vez, estaba enterado de que lo necesitaban en el comando. El ejército derrocaría al presidente. Las denuncias no le importaban. Echarían tierra al asunto. El ministro de Guerra estaba comprometido y todo se arreglaría a su regreso.

A las doce menos cuarto de la noche el comandante Andrango mandó comunicar que abordaría la nave. A las doce en punto el "San Cristóbal" trepidaba con el ruido de las máquinas en acción. Las tinieblas cerraban el horizonte; pero el piloto era experto y había recorrido centenares de veces la misma trayectoria. Llegaron a las ocho de la mañana del día siguiente. El comandante Andrango se trasladó de inmediato a la chacra de los Lindemann. Llevaba cuatro soldados con las bayonetas caladas. Estos rodearon la casa y el comandante penetró acompañado del teniente Ricaurte y un intérprete alemán. No iban en plan conciliario, sino a descubrir la verdad de los hechos, y recaían graves acusaciones contra Gunter Lindemann. Este último les recibió algún tanto azorado por el despliegue de fuerza, y cuando comenzaron los interrogatorios declaró: «Ser alemán, natural de Warburg, de cuarenta y cuatro años de edad, profesión

284

militar en su país, que profesaba la religión católica. Que el 27 o 28 de marzo de 1934 la baronesa se acercó al portón de su chacra llamando a Wernolf en alta voz, y como éste no se encontrara allí encargó a la señora Lindemann avisarle que se iba con unos amigos ingleses a los mares del Sur.

«—¿Por qué motivo vino Wernolf a vivir en su casa?

«—Porque Colvin le maltrataba abusando de la constitución débil y enferma de Wernolf. Este nos solicitó hospitalidad dos o tres meses antes de la partida de la baronesa y desde entonces vivió con nosotros hasta su viaje en el "Dinamita".

«—¿Cree usted que se ha cometido un crimen en las personas de Colvin y la baronesa?

«Lindemann declara enfáticamente que no cree en la posibilidad de un crimen.

«—Creo que la baronesa se esconde para que se ocupen de ella, pues le gustaba enormemente el reclamo periodístico, no deteniéndose para conseguirlo ni en adoptar medios que afectaban su propia reputación. Yo creo que más tarde aparecerá esa señora, pues su ocultamiento lo habrá hecho para encubrir alguna finanza. La baronesa encargó decir a Wernolf que cuidara de las cosas y que pronto regresaría a recogerlas».

Cuando le indagaron sobre la carta escrita por el doctor Weinhardt a un diario de Guayaquil contestó que el doctor Weinhardt, en los últimos años, estaba un poco chiflado. Entregó un parte escrito en términos ambiguos en el que daba cuenta de los sucesos ocurridos en la isla.

El comandante Andrango se trasladó con su comitiva a inspeccionar la finca de la baronesa. De la antigua barraca no quedaba nada, sino un montón de piedras. El musgo cubría la pipa donde chorreaban unas gotas de agua. En los contornos la hierba había crecido muy alta. En el huerto se inclinaban los árboles de banana y perduraban algunas plantas de yuca. En el jardín, donde antes estaban colocadas bancas artísticas que servían de asiento, sólo quedaban rezagos de flores que se marchitaban ahogadas por el pastizal. La chacra de la baronesa pertenecía a los Lindemann. Ellos habían procedido a denunciarla como abandonada y la habían incorporado a la suya. El comandante Andrango procedió a suscribir el acta respectiva después de completar el día haciendo preguntas e indagaciones. Intervenía en calidad de intérprete el alemán Carlos Kluber. Los soldados desenvainaron los yataganes y volvieron al "San Cristóbal".

Un corresponsal de *El Universo* y de la United Press que llegó en aquellos días a la Floreana intentó hacer una investigación exhaustiva. Nada consiguió. Lindemann volvió a enfrentarse con él cuando le preguntó sobre sus relaciones con la baronesa:

«Sin embargo, había motivos para disgustarnos: aparte de robarnos algunas cosas y matar el ganado por gusto, una vez me insinuó que mandara a mi hijo para enseñarle inglés, y resultó después que lo que le enseñaba era el amor. Determinamos acabar para siempre con esa señora y lo pusimos en práctica de modo absoluto a pesar de sus insinuaciones. Una vez trató de atraerme con actitudes lúbricas; pero yo pasé sin hacerle caso».

El corresponsal que pernocta en casa de los Lindemann se pregunta:

«¿Tenían entonces armas excelentes, muebles, libros, vajilla y las comodidades de que ahora disfrutan? Las personas que les conocieron aseguran que carecían de lo indispensable y que el doctor Weinhardt, caritativamente, les regalaba algo».

Por la noche escucharon ruidos en la chacra. Lindemann sale por los contornos y grita: ¡Oooo! ¡Alooo!, pero nadie responde. Vuelven a producirse los extraños rumores. La mujer se azora y tomando una linterna se interna en el monte. Retorna atemorizada. El corresponsal le dice:

—Si no son los vaqueros de "San Cristóbal" son los espíritus que andan por allí. ¿Cree usted en los espíritus?

—No creo en nada; pero si creyera en los espíritus no tengo motivos para temerles.

La zozobra de la mujer no disminuyó cuando todos se fueron a descansar. Parecía que le atormentaban las pesadillas. Lanzó un grito aterrador, tanto que el intérprete Sinnack, «medio dormido, creyó que le llamaban y se levantó apresuradamente».

El comandante Andrango congregó a la tropa. Recibió el parte y dio órdenes al oficial.

—Diez soldados a recoger el material para levantar la Escuela, otros diez a cortar leña para construir el hospital. Los del rancho, como de costumbre.

Dos en la guardia y tres a limpiar las dependencias. ¡No más toros muertos a no ser los necesarios para comer! ¡No más ordeño de cabras! ¡No más pesca de camarones!

El teniente Revelo le miró asustado; pero se cuadró más rígido que un cadete. El comandante arengó a la guarnición. En adelante él era el único jefe y todos se pondrían a trabajar, a laborar en beneficio de la patria. Trabajarían de ocho a once. A las once, un cuarto de hora de ejercicios y luego un baño de mar. Por las tardes, un horario parecido. Prohibía a la tropa comprar aguardiente y frecuentar los tugurios. Cuando lo creyese oportuno haría excepciones al reglamento. Cada vez que viniese el "San Cristóbal" u otro barco del gobierno concedería licencia a cinco soldados, por turnos, para que se trasladasen a Guayaquil, o haría traer mujeres. Hizo romper filas y se encaminó presuroso a la Capitanía. Tenía mucho qué hacer. Contempló las rocas caladas, de lava oscura, el mar borrascoso, respiró el aire de la brisa que le azotaba las sienes. Todo le pareció extraordinariamente pintoresco. Pensó que no le sentaría mal una larga temporada sin jefes, sin gestiones en el Ministerio, sin intrigas políticas. Se acomodó en la butaca y se puso a examinar los oficios pendientes, que eran muchos.

Los soldados comenzaron a arrastrar bloques de piedra, a cortar árboles, a juntar cascajo. Las acémilas tiraban los troncos. Las cañas secas se resquebrajaban en el suelo. Rodaban los materiales en el declive. Los músculos de los soldados sufrían contorsiones. Los pedruscos les machacaban los talones. El viento latigueaba pechos desnudos; pero se levantaron los cimientos y las paredes de madera se estructuraban poco a poco en un trecho del poblado. El comandante Andrango prohibió terminantemente la venta de aguardiente y su elaboración clandestina. La producción de caña sería transportada a Guayaquil para ingresar en los estancos. Recibirían un precio superior y pagarían un impuesto más bajo al fisco. Habría permisos especiales para el consumo interno. Ningún oficial ni suboficial podría extorsionar a los colonos, si no querían ir a parar al calabozo. Nadie estaba obligado a aceptar cohechos, entregar primas ni soportar amenazas. Las quejas las recibiría el jefe territorial en persona.

Los soldados abrieron veredas para ensanchar los caminos. Fueron levantando las paredes. El armazón de la escuela progresaba, los hitos del hospital estaban trazados. Ya no se escuchaban tiros de fusil en las alturas. Ya no se remontaba el ganado. Apacentaban menos ariscos. Cada cierto tiempo los soldados partían a Guayaquil y regresaban renovados. Relataban a los otros sobre las hembras del puerto, hembras estupendas; bebían cerveza, bailaban hasta el amanecer, saboreaban platos criollos.

El teniente Revelo advirtió que minaban sus ingresos y sintió un padecimiento interior. No podía chumarse con el comandante ni el sargento y los otros soldados porque el comandante Andrango no bebía, mejor dicho, bebía un poco los sábados y dormía el domingo. El comandante no era mal hablado y había prohibido decir palabrotas y tratar con grosería a la tropa. El seguía con la Graciela, el sargento con la Filomena; pero no podían llevarlas a bailar en el casino. Alguna vez lo hacían en las grandes fiestas cívicas, en el aniversario de Bolívar, el 10 de agosto, el 24 de mayo. Intentó burlar al jefe requisando cereales, matando toros, vendiendo azúcar a los pesqueros. El comandante le amonestó dos veces, a la tercera le mandó arrestado ocho días a la pieza. El informe trimestral al Ministerio no sería favorable. Le suspenderían en el escalafón, demoraría su ascenso a capitán. Optó por conformarse con su sueldo y con el amor de la Filomena.

La escuela quedó terminada y la amueblaron como pudieron con banquetas de ramas gruesas entrelazadas. Los colonos gestionaron el envío de una maestra por parte del Ministerio de Educación. Vino una profesora agraciada, de caderas gruesas y piernas fornidas. Los colonos enviaron a sus hijos. Quedaban pocas mujeres; pero sobraban los hijos. Fueron aprendiendo el alfabeto. Concurrieron también otros chicos más crecidos y hasta hombres maduros. Querían aprender la letra, estar en condiciones de leer un periódico, escribir cartas y prepararse por si algún día visitaban las ciudades. El comandante Andrango comenzó a salir con la maestra. Iban a dar paseos por el monte, se embarcaban en un bote para recorrer la ensenada, se perdían en la ribera hasta que un día dijeron que ella estaba preñada. El vientre se le había hinchado y la cintura estaba más abultada. No estaban seguros. Podía haberle sentado mal el clima de la isla y padecer de hidropesía. El comandante no recibía correo. A veces los periódicos; pero cartas no llegaban. Decían que era separado de su mujer y que Dios no le había dado hijos. Pobre comandante. Era una buena persona. Todos le respetaban; es más, le querían. Los colonos le llevaban regalos.

Por fin quedó terminado el hospital. No contaban con los medios para hacerlo funcionar, faltaban camas, faltaban instrumentos, sábanas, medicamentos, incluso un enfermero, porque ningún médico vendría. El comandante escribió varios oficios al Ministerio. Nunca recibió respuesta. Cada vez que llegaba un barco iba en busca de un oficio con sello del Estado. Pero el Ministerio no contestaba.

Una mañana se informó por la radio que el Gobierno había sido derrocado. El ejército había tomado el poder. Mandaron al presidente al destierro. Intentaban reunir una asamblea; pero nadie gobernaba. Mandaba el ministro de Guerra quien no tardó en proclamar la dictadura. El comandante Andrango reunió a la tropa, la hizo desfilar a paso de parada, con los fusiles al hombro y la mirada derecha, después de agruparles en un solo frente, desenvainó el sable enmohecido y gritó: «Viva la Constitución».

«Viva la Constitución», gritaron los soldados al unísono y «Viva mi comandante Andrango».

Las voces se perdieron entre el ruido de las olas y el silbido del viento. A nadie le importaba la Constitución de San Cristóbal.

XV
Epílogo

LA MAYOR parte de los personajes que intervinieron en el drama de la Floreana habían desaparecido. Sin embargo, pronto las islas se convertirían en el escenario de nuevos e imprevistos acontecimientos. Desde la primera guerra mundial su situación estratégica había despertado la codicia de las grandes potencias. Estas intentaron tomar posesión de ellas sea por medio de tratados de enajenación temporal o definitiva con el paliativo de empresas pesqueras, explotación de guano y necesidades de defensa bélica. En más de una ocasión plantearon la compra del archipiélago a cambio de empréstitos de algunos millones de dólares que servirían para el progreso y ayuda de los escasos recursos de la nación. Ecuador defendió su soberanía sin permitir que parte de su territorio fuese desmembrado por los mercaderes de la política.

Durante la primera guerra, en 1914, las fuerzas navales de los países beligerantes comenzaron a rondar por el archipiélago y sus aguas adyacentes.

En diciembre, el gobierno se mantuvo informado de que la escuadra alemana intentaba establecer en una de las islas un depósito de carbón y una estación inalámbrica y, posiblemente, bases submarinas. El barco "Leipzig", que se hallaba en las costas del Pacífico, hundía al buque tanque de petróleo "Elsinore" y más tarde echaba a pique, frente a las costas del Perú, al vapor "Blanksfield", que transportaba un cargamento de azúcar. La misma nave acechaba la salida de Guayaquil del vapor "Qulpue" de nacionalidad inglesa, que conducía a bordo pasajeros de diversas nacionalidades, entre ellos muchos ecuatorianos, para torpedearlo. Precauciones de última hora impidieron que se consumase el ataque.

«Historiadores de las operaciones navales de la Gran Guerra europea señalan las islas Galápagos como el punto de reunión de las unidades alemanas que venían del Asia, con las que se encontraron en estos lados del Pacífico. La destrucción total de la escuadra inglesa en el combate de Coronel —por lo inesperado de la sorpresa estratégica y la efectividad táctica del tiro— produjo una impresión notable en el mundo militar con proyecciones hacia la neutralidad de nuestro archipiélago y lo conveniente de su ubicación aislada para operaciones de este género[1]. Un nuevo conflicto bélico parecía aproximarse. El Japón reforzaba su flota, dispuesto a enfrentarse con la escuadra estadounidense. En 1935, el Japón operaba con 192 naves marítimas, en tanto que Estados Unidos disponía de 177. Sin embargo, se destaca la fuerza aérea americana, integrada por 477 aeroplanos, en contra-

---

1   Olmedo Alfaro, *Galápagos estratégico y comercial*, 1936.

posición a los veinte aparatos con que contaba la marina japonesa.

«Para el nipón, hacer volar el canal es cosa importante, es pelea casi ganada. Bloquear el canal en su salida con submarinos torpederos y submarinos siembraminas es cuestión que se impone... Allí están las islas Galápagos, a 700 millas de la entrada de Balboa sobre el golfo de Panamá»[2].

Era menester adiestrarse en el terreno, internarse en esa zona del Pacífico, poseer datos de sondaje, de lugares de avituallamiento, de posibles pistas aéreas. Cruceros, torpederos, destructores, submarinos, hidroaviones de diferentes nacionalidades iniciarían sus maniobras en las aguas de las Galápagos. El ministro del Ecuador en Washington, Colón Eloy Alfaro, informaba sobre estas actividades clandestinas que se escapaban a la vigilancia de las autoridades de San Cristóbal.

«Por él sabemos que el conde Félix von Luckener, oficial de la marina de guerra alemana, al relatarle sus hazañas en el Pacífico durante la primera guerra mundial, detalló las repetidas ocasiones en que se aprovechó de nuestras islas, tanto para escapar de los rápidos cruceros enemigos que navegaban en su busca, como para esperar el momento oportuno para lanzar sus ataques. Luckener dijo que había escogido las Galápagos como base temporal de operaciones, por sabio consejo del almirante Von Spee.

2   Olmedo Alfaro, *op. cit.*

«El mismo ministro Alfaro dio oportuna voz de alarma al comunicarnos las noticias de que submarinos de nacionalidad desconocida se hallaban realizando maniobras en las aguas del archipiélago. La prensa de Guayaquil había difundido también esas noticias. Se creía, no sin fundamento, que los submarinos eran japoneses»[3].

En 1936, durante dos semanas, tres escuadrones de hidroaviación de Estados Unidos efectuaban maniobras en las islas previa autorización del gobierno del Ecuador. La flota estaba constituida por treinta y una unidades, que acompañaban a los buques de guerra "Wright", "Teal", "Gannet" y "Lapwing", que operaban por mar y aire desde Santa Elena hasta las islas. El jefe era el contralmirante J. J. Horne. El "Teal", con doce hidroaviones, el "Gannet", con diecinueve, surcaban el Pacífico. El buque insignia "Wright" se aprovisionaba de combustible en el buque de guerra "Lapwing". Diecinueve hidroaviones cubrían el cielo de las islas.

Las potencias debían ejercer el control y observación de esas maniobras y colocar a sus hombres en el servicio de espionaje, hábilmente camuflados. Los protagonistas del drama de la Floreana: baronesa Von Rath, Colvin, Wernolf, el doctor Weinhardt, Grete Riedel, Lindemann, «son o fueron espías que han venido con el objeto de estudiar cualquier contingencia que pudiese presentarse, en la futura guerra entre las grandes potencias imperialistas que se disputan la su-

3   Carlos Manuel Larrea, *El archipiélago de Colón*.

premacía de los mares, es decir que las islas del archipiélago de las Galápagos y sus mares territoriales adyacentes son puntos estratégicos que se disputan las distintas naciones interesadas, de modo que la primera que los tomare, en caso de necesidad bélica, podría utilizarlos, ya sea como estación carbonífera de avituallamiento, estación aérea o naval»[4].

Los mismos personajes antes denotados, según expresa otro autor: «No podían ser otros que los agentes de una extensa red de espionaje en las Américas, y que, por suerte, a éstos les estuvieron reservados trabajos de suma importancia, como hacer sondajes, poner señales, hacer estudios geográficos y descubrir lugares ocultos, apropiados para depósitos de combustibles»[5].

En 1935 llegaba a las Galápagos la Darwin Memorial Expedition, presidida por el súbdito alemán, nacionalizado en Estados Unidos, Víctor von Hagen, profesor de la Universidad de Michigan. La integraban: Alexander R. Brown, Cristine Inez Brookc, Richard Muller, Cristine von Hagen, D. Hunter. Constituía una organización de naturalistas y científicos que iban a realizar estudios diversos y a inaugurar el busto de Charles Darwin en la isla San Cristóbal, con motivo de cumplirse el centenario del arribo del ilustre sabio a las costas del archipiélago. El 17 de septiembre, en ceremonia solemne, en presencia de los miembros de la Delegación y de las autoridades

4   Olmedo Alfaro, *op. cit.*
5   Bolívar H. Naveda, *Galápagos a la vista.*

civiles y militares del país que se habían trasladado en el buque "Presidente Alfaro", se descubría el busto, con los discursos de rigor, que evocaban la conmemoración. La inscripción decía lo siguiente: «Carlos Darwin arribó a las islas de Galápagos en 1835 y sus estudios sobre la distribución de los animales y plantas que aquí encontró le condujeron por primera vez a considerar la evolución orgánica. Así comenzó la revolución del pensamiento que desde entonces ha tenido lugar sobre esta materia. Erigido el 17 de septiembre de 1939 por los miembros de la Expedición para el monumento a Darwin».

Una ceremonia similar se realizaba en la parte noreste del jardín de la Universidad de Guayaquil.

La escultura de Darwin había sido modelada por el artista Luis Mideros. El rector, doctor Teodoro Maldonado Carbo, tomaba la palabra en representación de la universidad, y el doctor Richard Muller lo hacía en representación de la Memorial Expedition. El doctor Von Hagen sería más tarde condecorado por el gobierno y recibiría el apoyo oficial para permanecer en las islas y efectuar todo género de investigaciones. Allí permaneció varios meses. Hizo varias publicaciones sobre los galápagos, iguanas y otros animales y características de las islas. Verificó algunas excavaciones, descubriendo una calavera y los huesos calcinados, que por ciertas presunciones fueron atribuidos a ser los restos de la baronesa Von Rath. Víctor von Hagen no se limitó a explorar la fauna y la flora del distrito. Posiblemente estaba informado del extraño secreto del doctor Weinhardt y se

298

encaminaría, seguro de sí mismo, hacia el pie de los arbustos donde aquél ocultaba, cuidadosamente envueltos en material impermeable, sus aparatos de radiotelegrafía, sus planos topográficos, sus trabajos acerca de las posibilidades tácticas y estratégicas de la isla abandonada. Es probable que Gunter Lindemann le observaba escondido por las hojas de los helechos gigantes en un recodo del paraje. Tiempo más tarde, la National Broad Casting Company informaba desde Norteamérica: «Por orden expresa del presidente Roosevelt se redujo a prisión en San Francisco de California a V. von Hagen, bajo acusación concreta de ser un peligroso espía nazi y haber proporcionado al enemigo informaciones valiosísimas sobre las islas Galápagos, del Ecuador».

La prensa mundial seguiría ocupándose de los episodios de la Floreana y del enigma que comprendía la extraña desaparición de sus actores.

«Muchos otros periódicos y revistas, especialmente de Estados Unidos, al comentar la situación política mundial, trataron de nuestras islas y se hicieron eco de los dramáticos sucesos ocurridos en el archipiélago..., relacionándolos con la campaña del espionaje extraordinariamente difundida en el continente»[6].

En 1936 anclaba en la Floreana el crucero "Apollo", de la marina de su Majestad británica. Lo comandaba el almirante Best. En la Bahía de Correos permanecieron algunas horas, uniformados con gue-

6   Carlos Manuel Larrea, *op. cit.*

rreras de parada, mientras entonaban el himno nacional de Gran Bretaña. Pronto el crucero se perdería entre los acantilados cortados a pico, mientras un firmamento despejado y cubierto de estrellas iluminaba los contornos. La marina de Inglaterra también inspeccionaba los caminos del Pacífico y se detenía en las islas denominadas "El Gibraltar de Panamá".

Un año antes el Japón había invadido Manchuria, la zona más industrializada de la China; ocho millones de toneladas de carbón y 1.800.000 de hierro serían la recompensa bélica que serviría para incrementar el poder de sus ejércitos. Sancionado por la Sociedad de las Naciones, el Japón se retiraría de ese organismo internacional y Estados Unidos declaraba que no se haría solidario de las sanciones económicas impuestas a aquella nación.

Los países totalitarios se unificaban en un frente común de imprevisibles alcances. Japón se uniría al Eje Roma-Berlín en vista de que la Unión Soviética representaba una barrera para sus planes de expansión contra China. Japón ya no era el enemigo despreciable de otras épocas. Cuando el barco americano "Panay" fue hundido por los nipones, Roosevelt, en vez de tomar medidas de represalia, se contentó con la indemnización ofrecida por los japoneses. Mas el presidente Roosevelt sabía que tarde o temprano tendría que enfrentarse con la amenaza expansionista del Imperio y el peligro que este último representaba en la conservación y pervivencia del Canal de Panamá. Creyó conveniente echar una ojeada en calidad de testigo personal sobre las posibilidades de defensa contra las incursiones que llegasen del occidente del Pacífico.

En julio de 1938 aeroplanos estadounidenses hacían sonar sus motores sobre las colinas de la isla Floreana. El crucero "Houston", en el cual viajaba el presidente, se detuvo en la Bahía de Correos y luego se trasladó a las riberas de Playa Prieta. Allí permaneció algunas horas. El recorrido significaría una inspección de carácter estratégico y militar. Roosevelt, impuesto por su Servicio de Información, no olvidaría a Gunter Lindemann. En la playa quedaron algunas cajas que contenían licores, medicinas, chocolate, leche en polvo, conservas y una nota escrita que decía: «Compliments of the President of the United States. U.S.S. Houston».

Las islas primitivas habían perdido su silencio secular. Los lobos marinos, las iguanas, los flamencos, los pinzones, los cormoranes, los picudos, los pelícanos y los albatros se sacudían ante el ruido atronador de los aviones, por el trepidar de los motores de los grandes barcos. Los transportes llegaban y volvían a salir con rumbos desconocidos. Centenares, millares de hombres y soldados desembarcaban en la isla Baltra, y se apiñaban en la planicie de lava petrificada donde no crecía vegetación, donde no surgía hierba, donde no corría una gota de agua dulce. Allí se congregaba un enjambre humano: seis mil, hasta diez mil hombres. Las barcazas tocaban las costas erosionadas por el golpe de las olas. Rugían las máquinas entre el bullicio del transporte de materiales para la invasión relámpago. Los marineros caían al mar. Los cajones flotaban en las orillas o descargaban voluminosos en la arena. Plantas eléctricas, tanques, tuberías, maderas para ensamblar las construcciones prefabricadas. Los oficiales impartían órdenes entre juramentos y maldiciones. Ecuatorianos, colombianos, peruanos, centroamericanos se habían dado cita allí atraídos por el espejismo del dólar. La fiebre del dólar, como en otros tiempos el vértigo del oro, les tenía enloquecidos. La base tendría que construirse en un plazo determinado que superase todo récord, cualquier esfuerzo humano, que demostrase lo que sólo la técnica y el dinero estaban en condiciones de realizar. Los grandes barcos cisternas acarreaban el agua a fin de repartirla por tuberías en las proporciones necesarias. Las casas se levantaban con celeridad increíble cual cartones de muñecas transportadas intempestivamente a una zona abrupta donde antes sólo moraban las cabras. Llegaban los muebles, los catres, las sillas, los lavabos, los servicios higiénicos, los teléfonos, las cocinas. La tierra se asfaltaba para crear pistas de aterrizaje. Una de ellas, la más grande de la América del Sur. Las carreteras se cruzaban lastradas en centenares de kilómetros. Construíase un muelle para acoger a los barcos de mayor calado. Surgían de la nada una iglesia, una central eléctrica, un casino de oficiales, otro de tropa, canchas de deportes, un edificio para espectáculos y cinematógrafo, tiendas de ropas y víveres para entregar a los obreros a precio de factura. Los navíos de acero con los cañones enderezados movilizaban a los soldados. Los llevaban a otros mares, al escenario de los combates. Desembarcaban en las selvas inhóspitas, traicioneras, donde se luchaba cuerpo a cuerpo con la bayoneta calada. El dinero se amasaba pródigamente en la isla, en la que brotaba como por encanto una ciudad fantasma. Los hombres viajaban a Quito, a Guayaquil, a Panamá a derrochar el dinero.

Portaban dólares para entregar a las mujeres, dólares para despilfarrarlos en los lugares nocturnos, dólares para satisfacer los caprichos de las vacaciones pagadas. La alimentación no les costaba, la vivienda era gratis, un cartón de cigarrillos norteamericanos por semana y dos botellas de cerveza al día. Al enorme teatro de piedra que albergaba a más de cinco mil personas acudían artistas de Hollywood y bailarinas exóticas que desbordaban las pasiones, amortiguaban la soledad de los soldados.

Hitler había desencadenado a sus ejércitos en los caminos de Europa y hacían temblar al mundo con avances sorpresivos que innovaban el arte de la guerra. Los tanques avanzaban sin detenerse en maniobras envolventes, ataques de flanco y perforaciones que dejaban la retaguardia al descubierto sin que las fuerzas enemigas lograran taponar las brechas. Los grandes estrategas alemanes se infiltraban en los confines de Europa. La lucha se había establecido por una hegemonía continental entre la Unión de Repúblicas Socialistas Soviéticas y el Tercer Reich, y por otra marítima entre Estados Unidos y el imperio japonés. El 7 de diciembre de 1941 Japón atacaba a Pearl Harbour. La base naval quedaría maltrecha ante el bombardeo japonés. Cinco acorazados: "Arizona",

"California", "West Virginia", "Oklahoma" y "Nevada" fueron destruidos y terminarían en el fondo del mar; otros *destroyers*, barcos y cruceros, hundidos o seriamente averiados. Se iniciaba el choque entre las dos potencias navales en las aguas del Pacífico. La gran mayoría del pueblo norteamericano no anhelaba la guerra; pero los grupos de presión que rodeaban al gobierno empujaban al presidente Roosevelt a enfrentarse con Hitler y los países del Eje. El presidente tuvo conocimiento previo del ataque. El Servicio de Inteligencia poseía la clave Magic y otros códigos japoneses rescatados en el hundimiento del "Tami-Maru" y obtenidos en otras fuentes de espionaje. Dicen que Roosevelt permitió el bombardeo sin tomar medidas de defensa para despertar el espíritu nacionalista estadounidense y lanzar a la guerra a los ejércitos americanos. De las investigaciones realizadas más tarde a fin de establecer responsabilidades se desprendía que el comando no fue informado de los mensajes interceptados con antelación. El Comité de la Armada y Tribunal de la Marina exoneraron de culpa a los comandantes que servían en Pearl Harbour.

Galápagos volvía a significar una llave maestra para las operaciones del Pacífico. A Ecuador le correspondió ceder circunstancialmente las bases de Salinas y el archipiélago. El Japón había preparado de antemano su plan de conquista amparado en el conocimiento preciso y en la maniobra elaborada pacientemente en torno a la situación estratégica de las islas. Allá irían si los dejaban realizar nuevos avances bélicos. Los japoneses proyectaban apoderarse de la costa este de Australia, tras de lo cual se encontraban en posición ideal para continuar su avance sobre el este, sobre Nueva Zelanda, Zas, Fiji, Samoa y otras islas del Pacífico Sur y, finalmente, sobre las Galápagos y las islas de la costa de Chile. Desde esas bases, los japoneses hubieran podido fácilmente atacar la costa oeste y establecer cabeceras de puente con la ayuda de las colonias japonesas del Perú. El avance en esa dirección pudo estar sincronizado con un ataque contra el Canal de Panamá[7].

El *Liverpool Evening Express*, refiriéndose a la situación estratégica de las islas Galápagos, emitía los siguientes conceptos:

«América ha establecido bases en las lejanas islas de Galápagos. Ellas guardan la entrada por el lado del Pacífico al Canal de Panamá, a 600 millas del Ecuador, al cual pertenecen. Este movimiento estratégico ha sellado una zona de peligro potencial para los Estados Unidos. Ya se dijo que submarinos estaban usando estas remotas islas, porque se habían visto algunos no identificados que estaban rodeando por sus aguas desde que América entró en la guerra. No hubieran podido establecer bases allí porque Ecuador hubiera estado listo a echarlos afuera. Pero la red de traiciones del Eje estaba bien extendida, como lo han demostrado los últimos acontecimientos sucedidos en los Estados suramericanos. Estas islas aisladas hubieran sido escogidas para sus designios secretos y siniestros contra sus enemigos.

7   Bolívar Naveda, *op. cit.*

305

«Sin embargo, no es tan sólo como base para actividades submarinas para lo que las Galápagos hubieran podido ser peligrosas. Su verdadero valor es mucho más grande. Sus posibilidades estratégicas eran inmensas para un enemigo tan astuto como el Japón.

«Estas islas están situadas junto a la ahora vital ruta marítima de Panamá, Nueva Zelanda y el grupo oceánico. Las líneas de abastecimiento a Australia podían haber sido dominadas si tal medida no se hubiera tomado. El control de las Galápagos por parte del enemigo cerraría el Canal por el lado del Pacífico; lo mismo que si ellos tuvieran el dominio de las Bahamas e Indias Occidentales quedaría cerrado el lado del Atlántico, cerrándose también la entrada del Caribe.

«Una fuerza de marina y aviación poderosa, con bases en el archipiélago de Galápagos, dominaría no sólo el Canal de Panamá, sino todo Ecuador y quizá hasta México y la América Central. También se podrían encontrar facilidades para el anclaje de barcos de alto calado y portaviones, lo mismo que para campos de aterrizaje de aviones de gran radio de acción capaces de amenazar la costa del Pacífico desde los territorios meridionales de Estados Unidos.

«De este modo, las islas podían ser una presa codiciable para el Japón. Tokio hubiera arriesgado mucho para obtener esa fuerte posición: el Japón mismo es una potencia isleña; cada movimiento que realiza es una derivación de este hecho. Su estrategia se basa, ante todo, en el poderío naval protegido y aumentado con el uso de portaviones. Las islas han sido los escalones en que ha apoyado el pie para hacer nuevos y desesperados saltos a través de la gran altura del Pacífico, para amenazar a la India y a los Estados Unidos mismos.

«La característica de toda guerra del Japón ha sido el genio para explotar las bases insulares: Hong Kong, las Filipinas, las Salomón, Nueva Guinea y las Indias Orientales Holandesas son testigos del buen éxito de este método de saltos de rana en la fácil campaña del Pacífico. Para usar la frase de Winston Churchill, los japoneses son "animales oceánicos", ante todo, lo mismo que los ingleses y los americanos.

«Ellos han plantado sus banderas amarillas en las Aleutianas; el salto hacia éstas tenía, sin lugar a duda, un doble propósito: acercarse más a Rusia y amenazar a los Estados Unidos con un solo movimiento. Y en otros mares, han atacado las islas Andamanes, que forman una hilera hacia las playas tentadoras de la India.

«La acción·de Norteamérica en las Galápagos, con el sagaz consentimiento de Ecuador, ha detenido cualquier acción similar demasiado desagradablemente cercana en el Pacífico. Desde hace más de un año, cuando los grandiosos'planes de conjunción germano-japonesa en el Medio Oriente se rumoraban, Dakar en el oeste y Galápagos en el Pacífico, pudieron haber sido previstos o señalados como trampolines para reunión eventual en las Américas. Ninguna ambición es demasiado fantástica para los brigantes que toman el mundo en su totalidad como campo de actividades. Pero ningún plan semejante ha podido esta vez aplicarse efectivamente».

En la manigua, los hombres talaban los árboles para cortar palo de balsa. Agrietaban los troncos para que brotase el caucho. Luchaban con denuedo para transportar los materiales, abriéndose camino entre los pantanos, desbrozando la selva. Llegaban grandes camiones que llevaban petróleo, gasolina, plomo. El ferrocarril embarcaba ganado de las praderas, de las montañas, de los páramos, de la serranía. Palo de balsa para los aviones, caucho para las ruedas, carne para el ejército. Los norteamericanos pagaban bien, pagaban a precio de oro. La guerra se ganaba con dinero, y dinero sobraba en Norteamérica. Aparte de Baltra hacían falta otras bases en las islas Galápagos. Después de las exploraciones preliminares el Estado Mayor decidió montar otro núcleo militar en Floreana. Había llegado un barco de guerra con el secretario de Defensa, acompañado de altos jefes militares, para inspeccionar el terreno. Lo encontraron apropiado y trazaron un plan. Construirían un campo de aterrizaje en Pampa Larga. Abrirían una carretera de Playa Prieta al aeródromo. Una tubería conduciría el agua de la vertiente a los pabellones de la tropa. La tierra se cultivaría para sembrar vegetales, tomates, legumbres frescas. El Comando denominó el proyecto "Operación Floreana". El gobierno del Ecuador ordenó que se trasladase a la isla un contingente de infantería para enarbolar el emblema nacional y contribuir al resguardo del distrito. En pocas semanas la calma edénica de los parajes se resintió ante la invasión ru-

308

morosa de cruceros, portaviones, lanzaminas, torpederos. Muchos navíos se detenían en la bahía. Otros pasaban de largo a los demás islotes o proseguían su recorrido con dirección a Balboa. Los aviones revoloteaban con ruido ensordecedor sobre las colinas de cráteres emergidas del océano, sobre la vegetación verde-plateada de las pendientes, en la superficie color de olivo de las aguas circundantes. Durante un tiempo determinado las máquinas, los motores y los soldados conmocionaron los contornos de la isla. Poco a poco el tráfago fue disminuyendo hasta que los peñascales recobraron su abandono secular. Por razones desconocidas, el Pentágono había resuelto dejar insubsistente la "Operación Floreana".

Por otro costado, el curso de los acontecimientos en el mundo tomaba nuevos rumbos. Las relaciones entre los Servicios de Inteligencia manejados por los agentes del Awbher y la FBI se habían congelado. El contralmirante Canaris intentó montar un gran servicio de espionaje en Estados Unidos, pero había fracasado. Los jefes del ejército que con él colaboraban quedaron impotentes ante la fuerza avasalladora de Adolfo Hitler. Nadie podía predecir los resultados de la contienda. El Führer comenzaba a desconfiar del contralmirante. La Gestapo le vigilaba y Shelenberg buscaba con pausa las pruebas para condenarle. Las más secretas informaciones del Estado Mayor alemán se infiltraban en Rusia a través de radios clandestinas que no lograban descubrir. Los potentes aparatos que interceptaban las ondas hacían presumir que los transmisores estaban montados en las fronteras de Alemania, quizá en Suiza.

Un grupo de oficiales antinazis que odiaban a Hitler y su sistema enviaban sus informaciones desde el Estado Mayor. A la Unión Soviética llegaban periódicamente notificaciones sobre el movimiento de tropas, número de divisiones, planes de ataque, posiciones estratégicas, haciendo malograr los avances, dando tiempo a que las bolsas se escurran en el vacío, aniquilando a millares de soldados alemanes. El grupo de doce o catorce oficiales que estaban dispuestos a no permitir que el nacionalsocialismo se implantase en el mundo contaban con un agente, un tal Roesler, ciudadano alemán refugiado en Lucerna. El lo trasmitía a otros agentes soviéticos radicados en Lausana, quienes se encargaban de hacerlos llegar a Moscú. La situación de los Cuerpos de Ejército que invadían Rusia se tornaba insostenible. Era verdad que Hitler había cometido el mismo error que Napoleón. Permitió internarse a sus soldados por las extensas estepas heladas, devastadas por el invierno letal. Los servicios logísticos quedaron cortados e interrumpidos. Atascados los transportes entre la nieve y el fango. Los campos sembrados por cadáveres o colmados de cuerpos vivientes que marchaban con los miembros amputados por el frío. No era sólo la temperatura la causa del descalabro final. Habían llegado los nuevos tanques fabricados en Norteamérica, invulnerables a las armas antitanques del ejército alemán.

En vista de las derrotas infringidas y temerosos del futuro de su país, numerosos jefes y dirigentes civiles intentaron unificarse y superar los diferendos a fin de derrocar a Hitler. Los atentados y conspiraciones fracasarían en las redes de la Gestapo y ante el destino inalterable del propio Führer. Por una extraña disyuntiva sólo se salvarían los oficiales encubiertos en el Estado Mayor que trasmitían los secretos militares. En uno de los aviones donde viajaba Hitler alguno de sus acompañantes llevaba, sin saberlo, una bomba de relojería. Estaba empacada en una botella de licor, obsequio destinado a otro jefe. La bomba no estalla en el trayecto y el avión aterriza sin novedad ante el asombro de los conspiradores. En el *bunker* subterráneo donde el Führer esboza sus planes de campaña en unión de sus generales penetra el mayor Von Staufenberg. Lleva en su poder una bomba de alto poder explosivo. La coloca bajo la mesa de conferencias, a los pies del caudillo, y sale precipitadamente aduciendo una llamada telefónica de urgencia. Uno de los oficiales que transitaba tropezó con la cartera y la empujó a un costado. Poco después la bomba estalla. Vuela el *bunker* y el techo salta por los aires. Quedan muertos y heridos. Hitler, con contusiones, sale ileso. Uno a uno irán cayendo en los Tribunales de la Gestapo los generales, los civiles, los diplomáticos y sospechosos de estar implicados en el atentado. Todos serán exterminados. Culpable o no, autor de un juego doble en la trayectoria de los grandes acontecimientos de la época, presunto delator de secretos de Estado y de mantener contacto con potencias enemigas, el contralmirante Canaris será trasladado al cuartel de la Gestapo en Berlín. Allí le someten a interrogatorios e increíbles torturas. Le muelen a golpes. Le fracturan la nariz. Le interpelan noche y día y no le permiten dormir. Intentan doblegarle ante las poderosas lámparas de luz intensa. No logran ninguna declaración. La respuesta es siempre la misma. «Soy oficial germánico y todo lo que he hecho ha sido por el bien de Alemania».

El almirante Canaris, en calidad de cadete, hizo en 1907 un recorrido por la América del Sur a bordo del crucero "Bremen". El informe que remitió le serviría para que el Ministerio de Asuntos Exteriores le nombrara más tarde "informador confidencial". Desde entonces iniciaría su carrera en el Servicio de Inteligencia. En 1914 está en México en el crucero "Dresden". La guerra le sorprende en aguas de las Antillas. Hunde navíos ingleses y se incorpora a la flota del almirante Von Spee, que manda a pique una escuadra británica en el combate de Coronel. Es un puerto carbonífero situado al sur de Concepción, en Chile. Recorre el Pacífico y los mares de las Galápagos. Los ingleses destruyen la escuadra de Von Spee y sólo se salva el crucero "Dresden", que se refugia en el puerto chileno Más a Tierra. Allí es torpedeado y se ve precisado a hundir su barco. La tripulación es internada en la Quiriquina. Canaris huye en un bote y atraviesa la cordillera de los Andes. Obtiene un pasaporte con nombre supuesto y se embarca con rumbo a Plymouth y Rotterdam. Ha aprendido el español correctamente y a su regreso presenta informe reservado sobre la situación estratégica y condiciones defensivas del Canal de Panamá. En 1928 emprende un viaje de alcances políticos por Suramérica. En los países que visita consigue la adhesión de los ciudadanos alemanes para la causa de su pueblo y se conecta a muchos en las actividades de información y espionaje. Posiblemente nadie evaluó como él la situación privilegiada de las islas del archipiélago de las Galápagos. No en vano, en calidad de subalterno del almirante Von Spee, recorrió y utilizó esa zona del Pacífico como base de operaciones navales.

El contralmirante Canaris, promovido a jefe de la Abwher en enero de 1935, será ahorcado el 9 de abril de 1945 en el campo de Flossenberg. Fue uno de los más grandes organizadores de los Servicios de Información en Alemania y llevó a su tumba el secreto de sus inverosímiles aventuras en el campo de la intriga, el espionaje y los designios de sus actividades tortuosas e insondables, quizá saturadas de grandeza e idealismo.

La guerra había terminado. Los cruceros, los aviones, los grandes transportes que conducían soldados, comenzaron a alejarse de las islas. Baltra quedaría abandonada. Ecuador reclamó su soberanía y Washington convino en la devolución del territorio ocupado por las bases militares. Las autoridades de los dos países, acompañadas por el embajador norteamericano, se trasladaron a San Cristóbal. Volvió a ondular una sola bandera: la del tricolor nacional. Quedaba por resolverse el último episodio, relativo al desmantelamiento de la isla. Procederíase a la destrucción con la misma violencia con la cual se levantó una ciudad quimérica enclavada en el océano. Los

313

soldados norteamericanos, de acuerdo con sus reglamentos, recogieron los grandes tanques de depósitos, los camiones, los *jeeps*, las refrigeradoras, las máquinas, los repuestos, los muebles y demás pertenencias y los arrojaron al mar. En las aguas transparentes permanecerían visibles durante mucho tiempo las siluetas de acero, los arcos de bronce, los bloques de cemento armado, las láminas de tol sumergidas en un trozo de mar apacible y protestante. Habían construido un muelle para agilizar la maniobra. Las olas no intentaron arrastrar los despojos, a los que acudieron los peces, las aves acuáticas, los leones marinos a rumiar su letargo. Las piezas de artillería y sus bases de cemento armado desaparecerían arrasadas por la dinamita. Dinamita contra las rocas de lava para que el paraje quedase diezmado y recobrase su desolación primitiva. Los dólares habían llegado por millones, y por millones se enterraban en el océano. Los tractores se estremecían y trepidaban antes de hundirse para siempre. Los soldados saltaban en el último momento. Los oficiales observaban orgullosos la escena. Era como matar japoneses, igual que destruir las trincheras de la jungla. Las orugas rodaban en la arena y se sumergían luego en la corteza submarina. No eran fierros viejos ni chatarra ni vehículos perforados por los torpedos. Era un equipo intacto y costoso que se entregaba a la destrucción. Permanecieron en pie las barracas, los tabiques de piedra de los casinos, la armazón de los edificios múltiples, el pavimento de las carreteras. El aeropuerto principal sería minado por hendiduras subterráneas. Los barracones quedarían dispersos. Nadie los reclamaba. No valía la pena prenderles fuego. No hacía falta echar las tablas para que flotasen en el Pacífico. Irían a parar en Panamá. Más tarde, muchos colonos acudían a desmontarlas y transportarlas a otras islas para remplazarlas con los bohíos de cañas torcidas que se arqueaban con el sol. ¿Qué harían con la tubería que llevaba el agua dulce desde las grandes cisternas? No la llevarían a Santa Cruz, a San Cristóbal, ni a la Floreana. Iría a parar en el continente, al pueblo de Sangolquí, donde no lograban montarla porque las tuercas no alcanzaban, las roscas no enchufaban, porque el diámetro no correspondía. Había desaparecido en poco tiempo la potencia arrolladora de la isla de piedra donde los soldados norteamericanos contemplaron enloquecidos el mar y la distancia, donde atraparon las pelotas de béisbol, las de baloncesto, donde sufrieron la nostalgia del aislamiento total. Allí tantos sucumbieron con la epidemia de amebas que les haría retorcerse con calambres en el vientre. Había que cavar la sepultura con dinamita. El delirio y el espejismo les dejaba enajenados. Un mecánico de aviación que nada sabía de pilotaje remontó el vuelo en un aeroplano militar. Fue a parar a Panamá. Le sometieron a un consejo de guerra. El tribunal le absolvió. Está minado por el aislamiento, ofuscado por la soledad. Baltra y su pequeño islote, Seymur, recobraron su paz ancestral, reacios a la civilización y al dominio del hombre. Quedaba un saldo de doscientos cincuenta kilómetros de carreteras sin vehículos, un aeródromo, los vestigios de otro de 2.800 pies de pista donde en otros tiempos podían elevarse tres aviones a la vez. Los hombres habían dominado los peñascos; pero la isla les expulsaba para siempre. Hoy las Islas Encantadas duermen apacibles después de haber recobrado su paisaje bíblico, el panorama de una creación en cierne, la exclusiva de un "fin del mundo" como le llamó William Beebe. Los pájaros viajeros se hospedan en ellas en su peregrinaje por los cielos del planeta. Los piqueros de patas azules que empollan en las rocas matando de hambre a los críos para que sólo sobreviva el más fuerte. Los gorriones negros, las aves vestidas de frac, los cormoranes que perdieron sus alas porque no necesitaban volar, los pájaros de buches colorados, han retornado a su asilo en otras épocas. Los lobos marinos se desperezan o se zambullen en el agua para buscar crustáceos, lanzando gruñidos anacrónicos, mostrando sus mostachos y sus grandes dientes afilados. Las focas nadan en el estanque helado cavado en la roca erosionada por el mar. Los leones marinos envejecidos se refugian en la pendiente abrupta de los acantilados. Gritan lastimosamente y se muerden las entrañas. Las tortugas permanecen inmóviles junto a los manglares. Los últimos galápagos se han perdido en las zonas más intrincadas para que no les encuentren y caminan a paso pausado huyendo de sus últimos enemigos: los perros hirsutos, los gatos salvajes, los cerdos cebados. Las iguanas amarillas o verduscas se han vuelto negras en los parajes desnudos. Los caballos han formado su propia raza galapaguense. Los asnos se distinguen por sus cenefas negras. Los flamingos rosados aún pescan en la laguna y los pelícanos se acercan amistosos a la orilla. El hombre ya no les importuna, no les toca, no les persigue porque han desaparecido los piratas, los corsarios, los bucaneros, los balleneros, los naturalistas, los presidiarios y los soldados.

El gobierno del Ecuador ha declarado las islas parque nacional para solaz de los visitantes. Dos yates, el "Lina A", de procedencia griega, y el "Golden Cachelot", dan vueltas constantemente por aquellos mares transportando americanos, alemanes, británicos, franceses, japoneses y turistas de todo el mundo que han leído tantos libros sobre las islas. La silueta de Manuel Berlanga, obispo de Castilla de Oro, quien las descubrió por una eventualidad, acosado por el mal tiempo en una travesía al Perú, aún se perfila borrosa entre los arrecifes tocados por la bruma. Allí se esconden los espíritus de Morgan y otros piratas que se lanzaron al abordaje en pos del oro de las colonias. Allí, en el fondo, yacen los barcos destrozados y los mástiles quebrados en el roquerío. Un avión vuela periódicamente y aterriza en uno de los aeropuertos, construido por los americanos. Los yates se encargan del resto. Un conglomerado de turistas de todas partes dan traspiés en la lava endurecida y desigual. Todos coinciden en el mismo objetivo: disparar una máquina fotográfica cincuenta veces por minuto, enfocar un aparato cinematográfico frente a sus mujeres, sus hijos, sus amigos, en unión de los animales antediluvianos en el trasfondo del paisaje prehistórico. Llegan a la Estafeta de Correos, donde por tiempos inmemoriales se depositan cartas dirigidas a todos los sitios del globo. Desde allí se contempla el paisaje lunar de la Floreana, donde asesinaron a la baronesa Von Rath y a su amante, donde envenenaron al doctor Weinhardt, desde donde partieron para perecer asfixiados por la sed Paul Wernolf y Varanger, donde poco después enfermaría el hijo de Lindemann, quizá de mal de amores, hasta que una tarde una ola embravecida y gigante le hundiera para siempre en la resaca del mar, sin que nunca se encontrara su cadáver. Quienes conocen el drama que convulsionó a los noticieros de la época intentan indagar sobre los enigmas de la Floreana y conocer los rasgos de sus personajes.

Las personas que sobrevivieron a la tragedia y llegaron a conocer a los protagonistas mantienen un silencio hostil, un secretismo evasivo, rehúyen a todo trance comentar aquellos episodios como si un cuadro dantesco se hubiese representado en la isla maldita, de acuerdo con las declaraciones del capitán del "Santo Amaro", que se llevó el secreto en la maleta de Paul Wernolf.

No obstante, los turistas, los dueños de los grandes yates, los viajeros que llegan a la isla, van a depositar flores en la tumba del doctor Weinhardt, a recorrer los senderos rellenos de maleza que cubren el rectángulo de tierra en el cual yacen sus restos custodiados por los platanales.

El Imperio Británico, en homenaje a uno de sus más grandes hombres de ciencia, estableció, en unión del gobierno del Ecuador, la Fundación Darwin, en la isla de Santa Cruz. El duque de Edimburgo, en su visita oficial acompañado de su comitiva real, arribó en su yate "Britania" en noviembre de 1964, para detenerse ante el busto de Darwin y evocar la memoria del científico que revolucionó las teorías de su tiempo, igual que en épocas remotas lo hiciera un italiano llamado Galileo. El 11 de febrero de 1971, el duque regresó a las Galápagos. En su discurso oficial expresó:

«Es verdad que circunstancias geológicas, geográficas y climáticas han hecho estas islas únicas en el mundo, pero mucho más importantes son para la Humanidad, y no sólo un mero accidente en el desarrollo de teorías científicas. Estas islas están verdaderamente encantadas y ofrecen a la Humanidad una pequeña visión de cómo el mundo habría sido sin el apetito y agresividad de la raza humana».

Los viajeros recorren por el momento el modesto pabellón de la Fundación Darwin. Dos científicos exponen los orígenes y la trayectoria de los reptiles que dieron el nombre a las islas, que fueron la causa de la codicia de los hombres por un período de trescientos años. En los tableros de la Fundación se crían y alimentan pequeños galápagos que quizá un día llegarán a repoblar una parte de la región. En las parcelas contiguas, enmarañadas por la vegetación de cactus y otras plantas originarias, se escurren en la maleza los últimos ejemplares de esa raza de quelonios encerrados en su caja de dos tapas córneas y endurecidas. Desde el caparazón se extienden o se repliegan la cabeza y los ojos de rasgos arrugados como si hubiesen nacido envejecidos. Vegetan de doscientos a doscientos cincuenta años y pueden pasar sin agua y sin alimentos por un lapso de meses, más de un año. Entregan su carne y su aceite y en casos de emergencia fueron exterminados para beber la reserva del agua acidosa de sus vientres. Son el símbolo de la longevidad, de la impotencia, de la resistencia, de la paciencia. Sus movimientos, lentos. Su única defensa es esconder la cabeza y camuflarse entre las hierbas; a veces incorporarse y caer con su peso para aplastar a sus enemigos menores. Las dunas de lava, los farallones, las crestas góticas de los volcanes en receso y las corrientes impetuosas continuarán preservando un mundo distinto, forjado por la naturaleza como un ejemplo para la especie humana, afanosa de exterminio y dominio universal.

Contenido

Contenido

LIBROS PUBLICADOS

El hombre de la mirada oblicua
Javier Vásconez
Narrativa

El insomnio de Nazario Mieles
Javier Ponce
Narrativa

Diez cuentistas ecuatorianos
Ten Stories from Ecuador
Narrativa

El realismo abierto de Pablo Palacio.
En la encrucijada de los 30
María del Carmen Fernández
Ensayo

Los Andes en la encrucijada.
Indios, comunidades y Estado en el siglo XIX
Heraclio Bonilla (Comp.)
Ensayo

La semántica de la dominación: el concertaje de indios
Andrés Guerrero
Ensayo

Tráfico de identidades
Gino Lofredo
Narrativa

El fulgor de los desollados
Iván Oñate
Poesía

Este libro terminó de imprimirse
en mayo de 1993
en los talleres de Tercer Mundo Editores,
División Gráfica,
Santafé de Bogotá, Colombia
Apartado Aéreo 4817